서 문

　아내 칠순을 맞이하여 '아름 바위'를 집필하게 허락하신 하나님께 먼저 감사와 영광을 드립니다. 어느 분께서 자서전 출판기념회를 하는 모습을 보면서 저도 비록 글 쓰는 소질은 없을지라도 이제까지 저희의 삶을 주관해주신 하나님께 감사드리는 마음을 글로 표현하고 싶었습니다.

　'아름 바위'는 아름다울(미) 바위(암)로 '미암면'은 인생 여정을 함께한 제 가족 삶의 터전입니다. 저와 삶의 애환을 같이한 아내, 어려움 속에서 잘 자라준 두 아들과 며느리, 손자 손녀가 있기에 행복합니다. 어느 가정 못지않게 우애하며 '복산(부모님 택호)'의 명예를 이어온 누님과 동생들, 처남과 처제를 비롯한 일가친척들은 저의 힘이요 버팀목입니다. 신앙의 나침판이 되어주신 목회자 여러분께도 감사 드립니다.

　가족 중심으로 글을 쓰다 보니 혹 공감이 안되는 부분이 있을지라도 이해해 주시기 바랍니다. 이 글의 1부 '아름 바위'(남편 최규용의 글), 2부 '들꽃처럼'(아내 신현심의 글), 3부 '남기고 싶은 발자취(편지, 앨범 외)"는 저희 부부의 삶과 신앙의 고백서로 우리 가족에게는 가족의 소중함을 일깨워주며, 믿음이 있는 자에게 더욱 굳센 믿음을 아직 주님을 영접하지 않은 분들께는 이 글이 구원의 불씨가 되기를 간절히 원합니다.

　끝으로 저희 부부에 지대한 관심과 사랑을 주신 선후배 **여러분과** 번영로 교회 성도님께 거듭 존경과 감사를 드리면서 **여러분의 가정에** 하나님의 크신 은총이 가득하시기를 기원합니다.
　감사합니다.

제1부 아름 바위

제2부 들꽃처럼

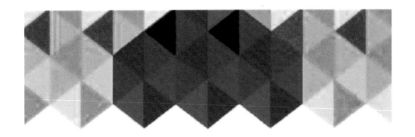

최규용 (崔圭龍)

　1951년 전남 영암에서 태어나 목포 상고를 졸업 후 한국 그리스도 신학교를 입학하였으나 가정형편으로 자퇴하고 농협에 입사하였다. 동아 인제대학교 졸업(전자상거래), 서울사이버대학교 졸업(사회복지과), 전남대학교경영대학원 수료한 후 사회복지사로서 사회복지법인 소림학원 등 지역사회 봉사 활동을 전개하였으며, 하나님의 은혜로 성경 통신교육원 동계대학 (3년)과 한국 인터넷신학대학 및 대학원 (M.div)(5년)과정을 마치고, 영남 사이버 대학교(신학과)를 졸업한 아내와 함께 미암 그리스도의 교회를 섬겼다. 농협 퇴직(37년 근무) 무렵에 질병으로 힘들어하던 중 교회에서 치유함을 받고, 하나님을 더욱 알고 싶어 가정형편으로 중도에 포기한 강서대학교 신학대학원(전 한국그리스도신학교)에 재입학 M.div 석사 과정을 45년 만에 졸업하였다. 하나님의 부르심을 받아 대한예수교장로회 보수연합 서울노회에서 목사 안수를 받았으며 현재 계룡의 '번영로 그리스도의 교회를 섬기고 있다.

제1부 아름 바위

1. 태풍을 이겨내다.

❊ 빚으로부터의 자유

눈보라가 몰아치는 어느 겨울날이었다. 퇴근하여 집에 돌아오니 이웃 마을 할아버지가 안방에 앉아 계셨다. 그 할아버지는 나에게 자초지종을 이야기하면서 네 어머니가 빌려 간 돈을 갚을 때까지 가지 않고 있겠다는 것이다. 한쪽 모퉁이에 앉아 계시는 어머니가 초라하기 그지없었다. 제가 농협에 근무하므로 며칠 내로 갚아드리겠노라. 약속하자 그 할아버지는 그때야 자리에서 일어나셨다. 아버지의 뇌졸중으로 4년간 병간호하시면서 모진 고생을 하신 어머니는 병원비, 나의 학비, 누나들의 결혼 비용 등 생활비를 감당하기 어려워 나락 계주가 되어 비싼 이자를 부담하면서 빚에 빚을 지며 어려운 살림을 맡아 오시다 겪게 되는 수모였다.

이때부터 나와 어머니, 친지들의 명의를 이용하여 사채에서 농협으로 빚을 옮겨가며 친구, 이웃에게 보증을 부탁하기에 이르렀다. 나와 가장 절친한 친구에게 보증을 부탁했는데 도장이 없다는 핑계로 거절당했을 때 그 아픔, 사촌 형님 명의로 차주를 했는데 그 형님이 어머니께 심하게 상환하도록 독촉하므로 어려운 줄 알지만, 그 채무만은 어떻게 갚아드리라는 어머니의 애절한 모습이 눈에 선하다. 반면에 내가 변제 능력이 없으면 갚아야 하는 줄 알면서도 나를 믿고 차주를 해주신 집안 최우열 아저씨의 고마움은 지금도 잊지 않고 있다.

승진하여 삼호농협 참사로 있을 때 전임지 직원이 그곳 농협까지 채무상환 독촉을 하기 위해 방문하였으니 정말 쥐구멍이라도 찾고 싶은 심정이었다. 그 당시 농협에서 연말이 되면 전 직원이 채무 상환하도록 마을에서 숙식하면서까지 강력하게 독려했던 때였다. 초창기 무분별한 대출로 부실채권이 많아 과감히 채권을 회수하는 과정에서 채무자가 흉기를 들고 와 압력을 가하므로 생명의 위협까지 느낀 일도 있었다. 그만큼 적극적으로 추진하던 때에 나 자신이 채무자의 형편이기에 심하게 상환 독려를 할 수 없었다. 빚 진자의 서러움을 누구보다 더 잘 알고 있기 때문이다.

　　힘들고 지쳐 있는 나에게 아내의 위로와 격려는 큰 힘이 되었다. 농협의 책임자 배우자가 핫도그 장사를 한다는 수치도 아랑곳하지 않고 두 아들을 등에 업고 돈벌이에 나섰다. 서울 색시 아내는 반신불수의 어머니 대소변을 받아 내며, 아이들 뒷바라지, 구멍가게 운영 등 쉴 틈 없이 움직였다. 자정이 되면 그때야 비로소 어머니 기저귀, 어린아이 기저귀를 구분하여 손빨래를 시작하는 일이 거의 매일 지속되는 정말 피눈물의 모진 고생을 감수했다. 돈 버는 재미가 아닌 빚 갚는 의무감으로 살아가야 했던 우리 부부였다. 나는 빚을 갚기 위해 동네에서 독천까지 십리 길을 비바람이 몰아쳐도 택시 한번 타지 않고 걸어 다니면서 악착같이 이 모든 현실을 견디었다. '하나님 빚만 갚도록 해 주십시오. 그러면 열심히 교회 다니겠습니다.' 정말 말도 아닌 기도를 하는 것이다. 이것이 바로 다급한 당시의 나의 모습이었다.

　　주변에 농협마트가 있었는데 그 마트보다 우리 집이 장사가 더 잘된다고 소문이 났다. 그때는 소주가 가장 잘 팔렸는데 소주를 구매가격으로 이윤 없이 판매하므로 우리 집 물건이 싸다는

소문을 듣고 소주를 사려 왔다가 다른 물건도 사 가게 하는 것
이다. 실은 다른 물건은 농협보다 비싼 것도 있는데도 말이다.
이처럼 실로 땀과 눈물로 빚 갚는 재미로 살다 보니 그 많던 빚
이 조금씩 줄어들기 시작했다. 빚을 갚을 수 있다는 자신감이 생
길 즈음에 변수가 생겼다. 누군가 장사가 잘되니 농협중앙회로
민원을 내어 농협중앙회 영암군지부장이 나에게 농협 사업과 경
쟁이 되는 사업을 하지 않았으면 좋겠다고 권유한다. 구멍가게를
농협의 경쟁사업으로 본 것이다.

빨깐느 즐거움으로

　아내는 빚 가운데 극히 어려움을 겪고 있는 와중에도 일본 유
학 중인 남동생을 위해 자녀들에게 맛있는 것, 좋은 옷을 입히지
아니하고, 자신의 패물까지 팔아가며 돌봐주었다. 때로는 아내
몰래 생활비를 보냈으나 그걸 알면서도 모른척한 아내가 생각할
수록 고맙기 그지없다. 이제는 동생들이 우리 부부를 위해 농장
에서 직접 경작한 사과대추, 블루베리 등 맛있는 선물을 수시로
보내온다. 하늘에 계신 부모님께서 형제간의 우애를 보시며 미소
지으실 것 같다.

※ 보험금을 타려고

농협 직원들은 자신에게 주어진 목표를 달성하기 위해 대부분 자신과 가족의 명의로 농협공제에 가입한다. 나도 어머니 명의로 공제가 가입되어있는데 어머니께서 건강을 회복하시기가 힘들 것 같다는 생각이 들자 돌아가시면 보험금을 수령하여 빚을 갚을 수 있다는 생각까지 미치게 되었다. 정말 장남의 모습으로 추악하고 불효한 못된 생각이었다.

나의 마음을 읽은 아내가 어머니가 돌아가시면 받게 될 보험금을 아무리 어렵더라도 우리 가정을 위해 사용하지 말자고 한다. 아내의 뜻에 따르려고 하니 마음이 평안해졌다. 우리는 어머니께서 소천하신 이후 어머니의 이웃 사랑 정신을 이어 나가고자 보험금 수령액으로 어머니 명의의 조그만 자선회를 만들었다. 초라한 이웃 사랑이지만 성탄절이면 우리 가족의 정성을 이곳에 모아 하나님께 드렸다. 비록 어머니는 하나님의 부르심을 받아 가셨지만 살아계실 때 누구보다 더 이웃 사랑의 손길을 주신 어머니의 뜻을 전한 것이다.

그 이후 어느 날이다. 어떤 분이 나의 토지에 SK 기지국을 설치하려고 한다면서 3평 정도에 년 200만 원의 임대료를 주겠다고 한다. 주변의 많은 땅 중에서도 나의 토지에 기지국을 설치하도록 하신 하나님께 감사드리며 아무래도 자선회기금이 너무 초라하여 키우라는 하나님의 뜻이라 생각하며 임대료 수입 중 일부를 자선회 명목으로 드렸다. 그런데 이게 또 웬일인가 그 다음 연도에 KT 프리텔에서 기지국을 세우겠다고 토지를 임대하여 달라는 것이다. 그 이후 SK, KT는 물론 LG유플러스의 3곳이 합하여 기지국을 세우되 탑은 공동으로 사용하고 부속물은 각기 설치하는 조건으로 임대해 달라는 것이다. 3개의 기지국을 모두 나의 토지에 설치하여 이웃 사랑을 더욱 넓혀가게 하였다.

부모님 세대 때만 하더라도 여자들은 결혼 전에는 자기 이름을 사용하다가 결혼을 하게 되면 이름 대신에 택호(宅號)를 부른다. 즉 여자가 살던 마을 이름 뒤에 택(宅)을 붙여서 불렀는데 나의 부모님 택호는 '복산'이다.

부모님은 일제 강점기에 일본에 거주하시다가 해방되어 귀국하신 후 면 소재지에서 이발관과 삯바느질을 하셨는데 지나가는 나그네는 물론 걸인까지 우리 집에 잠재워 주시면서 음식을 제공하고 노자까지 주시는 것이 매우 못마땅하여 내가 아버지께 투정을 부렸던 기억이 난다. 이처럼 세상 사람들의 본이 되시고 참되게 살아오신 아버지께서 뇌졸중으로 쓰러지셔서 4년여 동안 병고에 시달리시다가 결국은 돌아가셨으며, 어머니마저 부인병이 악화하여 반신불수로 대소변을 받아 내시다 소천 하셨다. 지금은 전문 요양병원이 있지만, 그때만 해도 그런 시설이 없었기에 집에 모시고 있을 수밖에 없었는데 누워만 계셨기에 등창이 생겨 통증을 호소한다. 다행히 집과 직장 거리가 100m 이내 거리이기에 시간마다 집으로 내려와 어머니를 보살펴드렸는데 이 모습을 보고 내가 효자인 것처럼 말하였으나 실은 통증을 호소할 때마다 몸을 움직여 드리며 정성껏 간호해야 함에도 못 들은 척했던 일들이 한두 번이 아니었다. 겉모습만 보았을 뿐이지 실로 불효 막심한 자였다. 휴직이라도 해서 어머니를 간호해야 함을 생각하지 못했다.

불효만 했던 나에게도 어머니를 미소 짓게 한 적이 있었다 어느 날 이웃집 아주머니께서 광주로 이사를 하면서 토지를 싸게 매각한다는 소식을 듣고 실사해 보지도 않고 매입했는데 그 논이 어머니께서 빚더미에 마지막으로 팔아버린, 나와 아버지가 두

레질하던 바로 그 논이었다. 다시 논을 차지했다는 소식을 듣고 어머니께서는 병중에도 오랜만에 미소를 지으며 기뻐하셨다. 빚 갚는 재미로 살아오다 이제 조금 기지개를 켜려고 할 때 어머니는 소천 하셨다. 어머니께서 소천하시는 날. '살아계실 때 효도하라 돌아가시면 후회된다.'라는 말처럼 정성껏 효도하지 못함을 후회하며 한없이 통곡하였다.

나의 부모님은 질병에 시달리다가 소천 하셨으니 세상눈으로 바라보면 복된 가정은 아니었다. 그러나 아버지께서 소천하기 한 달 전에 세례를 받고 주님을 영접하셨으며 어머니는 비록 40대에 홀로 되서 모진 고생하시다 중병으로 돌아가셨으니 정말 복 없는 어머니라 할 수 있으나 믿음 없는 이웃집 순옥이 어머니가 돌아가신 어머니의 평온한 모습을 보고 '복산댁 천사 같네' 했으니 분명 천국에 가신 것이 확실하다. 부모님의 택호 '복산'처럼 복 받으신 부모님이다. 이 세상만을 생각하지 아니하고 어려운 환경 속에서 더욱 천국의 소망을 바라보며 살아가는 것이 중요하리라 본다.

우리나라에서는 효(孝)를 백행(百行)의 근본으로 삼아왔다. 부모를 따뜻이 섬기고 어른을 공경하는 행위야말로 가장 기본적이고 중요한 것이라는 뜻이다.

「가정의 달」(5월)이 이미 지난 지금 갑자기 효에 대해 이야기하는 것은 마침 우리지역의 농협 직원 가운데 효심이 깊고 우애가 남다른 사람이 있다는 사실을 알았기 때문이다.

조합원인 나는 광소 농협에 들를 때마다 그 직원이 매우 친절하고 성실하다는 생각을 하고 있었는데 효심도 깊다는 이야기를 들으니 더욱 믿음직스러웠다.

그 직원은 청소년시절 부친을 여의고, 농협에 근무하면서부터는 홀어머니와 동생들을 돌보아 왔다고 한다.

그의 아내도 신혼때부터 가계를 내 시동생들 학비를 마련했으며 시어머니를 극진히 모셨다고

효심깊은 어느 농협인

한다.

얼마전 어머니가 몇년동안 중풍으로 고생하다 돌아가셨는데 그들 부부는 어머니가 병석에 누워있는 동안에도 늘 성심껏 최선을 다해 간병을 했다는 것이다.

이 이야기는 자식으로서 당연한 일을 한 평범한 것일 수도 있다. 그러나 요즘 농촌을 잘 살펴보면 쉽게 찾아볼수 없는 일인 것이 사실이다. 젊은이들이 대부분 부모만 남겨놓고 도시로 떠나버려 노인들은 버려진 것이나 다름없는 상황이다.

내 나이가 예순이 넘었건만 아직도 동네에서 젊은 편에 속하기 때문일까, 효행에 대한 이야기는 가슴을 뭉클하게 한다.

현 희 선
〈전남 영암군 학산면 학계리 132〉

- 13 -

2. 삼세판의 경고

❋ 구두짝을 던진 여인

　요즈음은 SNS를 통한 채팅과 카톡이 대세이나 1970년대 손편지가 유일한 통신수단 역할을 하던 시절, 얼굴도 모르는 누군가와 손편지를 주고받으며 인연을 쌓던 펜팔(pen pal)은 젊은이들에게 사랑의 징검다리 역할을 하였다. 전혀 알지 못하는 상대와 펜팔로 집배원 손에 들려온 편지를 주고받으며 사랑의 대화를 나눔은 하늘을 나는 기쁨이다. 나에게 '오빠'라고 부르는 펜팔 친구와 오랫동안 설레는 마음으로 편지를 주고받다가 드디어 만남의 기쁨을 갖게 되었다.

　세상에서 가장 못난 얼굴이라던 그녀를 만난 순간 너무나 고운 얼굴은 나의 마음을 설레게 했다. 세상 사람들이 오빠 누이가 여보 당신으로 변한다고 하는데 우리는 절대 변하지 말고 지속하자고 약속하였으나 마음 한구석에는 그러하지 못했다. 너무나 좋아했기에 사랑할 수 없다는 말처럼 나도 너무나 고운 그녀에게 차마 결혼하자는 말을 하지 못하고 망설이고 있다가 한가지 꾀를 내었다. 나와 친히 지내던 다섯 명의 친구들에게 우리 여자친구 한 명씩을 데리고 하루 데이트를 하자고 제안을 했다. 모두 찬성하고 여자친구가 없는 친구는 이곳저곳에서 여친을 구하려고 애를 썼는데 난 믿는 구석이 있어 펜팔 친구에게 이런 제안을 이야기하므로 흔쾌히 승낙을 받아 그날 만나기로 약속을 했다. 그런데 약속의 날 나오려 하는데 부둣가에서 호랑이(직장 감사과)를 만나 되돌아갔다는 것이다. 제안했던 나만 홀로 나가게 되고 나머지 친구들은 모두 여자친구와 함께 왔고 그날이 인연이 되어 두 친구는 결혼까지 이르게 된 것이다.

인연은 따로 있었다. 어느 날 그녀는 갑자기 부모님의 성화 때문에 약혼을 했다고 한다. 난 결코 그녀를 붙잡을 수 없는 환경에 나 자신만을 탓해야 했다. 친구들이 나에게 구두짝(일명:히루짝)에 터진 친구라고 비아냥거린다.

그 이후 10여 년이 지나 직장 신입 사원 환영 모임 자리에서 여직원이 '섬마을 선생' 노래를 부르는데 오랫동안 잊힌 섬 처녀였던 그녀의 생각이 떠올랐다. 지금은 누군가의 아내요 엄마로서 행복하게 살고 있을 테지. 다시 돌아올 수 없는 그때의 추억을 회상하며 그리움이 가슴에 사무쳤다.

이튿날이다. 뜻밖에 고운 여자 음성의 전화가 걸려 왔는데 나의 목소리를 기억하지 못하겠느냐 한다. 바로 그 여인의 목소리였다. 그 여인도 순수했던 우리의 지난날이 떠올라 나의 근무처를 알아내어 용기를 내어 전화했다고 한다. 그 이후 사무실에서 숙직을 대신하겠노라 선심을 쓴 후(...) 동전을 미리 준비해 사무실 공중전화부스에서 날이 새는 줄 모르고 못다 한 사연들을 이야기하였고 드디어 만남의 기쁨을 누리게 되었다. 유부남과 유부녀의 사랑 이야기는 할 수만 있다면 열차를 타고 여행이라도 가고 싶다는 말까지 나오게 되었다.

그때는 내가 30km 비포장도로를 오토바이로 출퇴근하기가 힘들어 그곳에 방 한 칸을 구해 다니던 때였는데 이틀이 지나 퇴근 후 집에 돌아오니 아내가 오늘 새벽에 교회를 다녀와 잠시 눈을 붙이다 이상한 꿈을 꾸었다고 말한다. 내가 어느 요염한 여인과 함께 있으면서 나를 불러도 대답을 하지 않는데 옆으로 열차가 지나가더란다. 너무나도 깜짝 놀랐다. 아내가 나의 일거수일투족을 바라보고 있는 것 같았다. 나도 모르게 모든 사실을 털어놓고 말았다. 잘못된 만남을 경종 하는 것이다. 처음의 약속처럼 그녀는 나의 영원한 오누이임을

※ 베일이 벗겨지다.

컴퓨터를 배우고 싶어 당시 KBS TV에서 방영된 주부 대상 컴퓨터 교육 프로그램을 녹화하여 홀로 강좌를 청취하였다. 공부하는 도중 우연히 메일 주소 하나가 눈에 뛰어들었다. 컴퓨터 교육은 채팅이나, 이메일로 편지를 주고받으면 실력이 향상된다는 말을 들었는지라 이메일을 통해 편지를 써보아야겠다는 생각이 들었다. 특히 이 프로는 여성 교육 프로그램이므로 분명 여성일 거라는 생각에서 더욱 호기심이 생겨 서투른 솜씨로 한자씩 자판을 두드리며 메일을 통해 편지를 띄웠다. 정말로 그 이튿날 답장이 온 것이다. 이름도 모르고 어디에 사는지 무엇을 하는지 전혀 알 수 없는 여자와 이렇게 나는 메일을 통해 대화하기 시작했다. 스무고개가 시작되었다. 나는 전라도 월출산의 영암이요 그녀는 경상도 양민학살 사건으로 유명한 거창이었다.

내가 직장생활 시작하면서 대구연수원에서 2주간 교육을 받고 있을 때 어느 교수님이 교무실로 부르더니 평가시험지에 글씨를 정성껏 쓰지 않았다고 심하게 꾸중을 하였다. 그 당시 지역감정이 심하였던 때라 멀리 전라도에서 교육받으러 온 나에게 차별대우를 하는 것 같아 그 이후로는 경상도 사람을 곱게 바라보지 않았다. 그런데 경상도 여자이다. 나의 큰 며느리는 부산 출신이고 작은 며느리는 구미 출신이다. 시부모를 극진히 섬기는 며느리를 보며 지역감정이 사라져버렸다. 하나님은 나에게 지역감정을 해소하게 하려고 이 여인을 알게 하시고 경상도 며느리를 보내주신 것이다.

'사랑했으므로 행복하였네라'의 청마 유치환과 이영도의 주고받는 우정어린 편지처럼 하나하나 가려진 베일을 벗기며 나는 아내 몰래 그녀에게 글을 쓰는 일이 하루의 즐거움이었다. 그러던 어느 날 그녀의 글에 자신은 자기의 남편과 나의 글을 읽는 시간이 가장 큰 기쁨이요 행복이라고 하지 않는가. 아니 이럴 수가! 난 너무 놀랐다. 나는 아내 몰래 글을 읽으며 기뻐하는데 그녀는 자기 남편과 함께 나의 글을 읽으며 기뻐하다니……. 그녀에게 메일을 보냈다. "세상에 외간 남자와 글을 주고받는 것을 즐거워하는 자가 어디 있겠습니까? 당신 남편은 아무래도 성직자나 되나 봅니다. 스님은 결혼하지 않으니 스님은 아닌 것 같고 신부님도 결혼하지 않으니 신부님도 아닐 테고 그렇다면 당신 남편 교회 목사님이 아닌지요?" 무심코 했던 말이었다. 그런데 이게 웬일인가 그다음 나에게 보내온 답장에는 정말 그녀의 남편은 심리학을 전공한 목사님이었다.

또다시 나의 마음이 흔들리고 세상의 즐거움에 빠지려 할 때 목사님 부부를 보내주시어 바른길로 인도하시려는 하나님의 역사하심이었다. 쉬지 않고 나를 위해 기도하는 아내의 기도 응답이었다. 그 이후 목사님은 자신의 설교 테이프를 보내주시어 은혜의 말씀을 주시는 등 여러 모습으로 우리의 믿음을 성숙하게 해주셨다. 지금은 서로 연락이 끊기었는데 내가 복음을 전하는 자가 되어 사역하고 있다는 소식을 알게 된다면 깜짝 놀랄 것이다. 현재 경남 함안 산인중앙교회를 섬기고 계시는 박삼철 목사님 부부를 언젠가는 찾아뵙고 싶다.

박삼철목사님 부부

태풍의 영향인지. 아무래도 비가 오려나 보군요. 그 덥던 열기
는 다 어디로 숨었는지. 태풍이 그냥 순적하게 지나갔으면 하고
바랍니다

**내가 택시비가 아까워 비를 맞고 걸어서 직장에 다니면서 동
생의 뒷바라지를 한 것은 아버지의 사랑을 받지 못하고 자란 동
생들을 보호할 의무가 있어서입니다."**
님의 글에서 이 부분을 읽으니 마음이 많이 아려옴을 느꼈어
요. 부모. 형제간의 사랑도 메말라가는 시대를 살면서 님께서
동생에게 베풀어준 사랑은 보석과 같이 빛난다고 얘기해 드리
고 싶군요. 그리고 님의 사모님께두요.

참. 남편이 오후 예배 설교 중에 아주 중대한 실수를 했다고
해요. 빌레몬서를 기록한 제자가 사도 바울인데 빌레몬이라고
아주 자신에 찬 거짓말? 을 했어요. 설교하는 중에 아. 말이 헛
나갔다. 고 생각했답니다. 정정하지도 못하고. 그런데 웃기는 게
예배 마치고 어느 교인 한 명이라도 목사님. 빌레몬서의 제자가
사도 바울 아닙니까? 라고 묻는 사람이 없었거든요. 목사의 말
에 신뢰심이 강한 건지??? 늘 하나님의 말씀을 가까이한다고
자부하는 목사도 실수하네요. 새겨들으시기를 바랍니다.

또 제가 편지 중 실수를 했어요. 빌레몬의 제자가 아니고요.
저자(지은이)예요. 그 남편의 그 아내. 어울리지 않나요? 이렇게
우리는 날마다 수정되어야 할 인간임을 인식하며 살고 있답니
다. 다솜의 뜻이 뭔지 아세요? 순수한 우리말이래요. 사랑이래
요. 너무 예쁘지 않나요? 예수 안에서 다솜. -편지 일부분-

❋ 무소불능 하시오며

목포와 인접한 삼호농협에 근무할 때 일이다. 농협에 주부대학, 부녀회 등 여성단체 조직이 활발하게 진행되던 시기에 농협여성 산악회에서 매월 산행하는데 내가 동행하게 되었다. 사무실에서 무게 지키려는 모습을 한 푼 내려놓고 함께 관광버스 안에서 디스코를 추며(지금은 금지됨) 여성 회원들과 어울리다 보니 산행 때마다 나를 데리고 가려 하고 자신의 짝꿍이라며 번호를 매길 정도였다. 그러는 가운데 함께 노래방에도 다니며 세상 즐거움에 빠졌다.

무사히 삼호농협 정기총회를 마치고 잠시 쉬고 있는데 허리에 통증이 왔다. 총회 준비로 피로가 쌓여 그런가 보다 하고 인근의 의원에서 물리치료를 받았는데도 호전되지 않아 퇴근을 일찍 서둘렀다. 좋아질 것으로 생각했던 아픔은 더욱더 심하여 통증 때문에 일어설 수 없는 지경에 이르렀다. 엉금엉금 기어서 겨우 화장실에 가며 밤새 허리를 움직일 때마다 통증이 심하여 잠을 이룰 수가 없었다. 허리 전문병원인 광주 우리들 병원에서 MRA 촬영 결과 4~5번 디스크가 파열되었으며 척주관 협착증이 심하므로 즉시 수술을 해야 한다고 한다.

두 번의 경고에도 말을 듣지 않고 세상의 즐거움에 눈을 돌리는 나에게 이제는 질병으로 날 징계하신 것이다. 치루 수술이 재발하여 큰 수술을 했던 나는 또다시 칼을 내 몸에 댄다고 생각하니 두려움이 엄습했다. 이틀 후에 수술하기로 예약하고 그에 따른 모든 검사를 마치고 진통제 처방을 받은 후 집에 돌아온 다음 날이다. 누워있는 나에게 아내가 살며시 다가와 오늘 주일 오후에 외부 목사님이 오셔 설교하신다고 한다. 내가 나오기를 바라는 의미의 말이다. 나는 초등학교 때부터 교회를 섬겼으나 어릴 적에는 어머니의 손목에 이끌리어, 결혼 후에는 아내의 눈치를 봐가며 이 핑계 저 핑계로 예배에 참석하지 않는 날이 많았다. 결혼식 청첩장이 날아들면 그날은 교회에 가지 않는 신앙인이 아닌 한낱 종교인이었다.

 그런 나에게 또다시 수술하게 되는 처지에서 아내에게 미안한 마음에 아내의 바람을 들어주어야겠다는 생각과 물에 빠지면 지푸라기라도 잡는다는 심정으로 교회에 갔다. 예배당 제일 뒤에 앉아 있으니 외부에서 오신 목사님이 나를 보더니 "장로님 앞으로 앉으십시오." 하는 것이다. 집사도 아닌 내가 장로로 보였는가 보다. 아내가 대표 기도를 하는데 목이 메어 제대로 기도하지 못한다. 남편이 또다시 큰 수술을 하게 되니 기도가 나오지 않는 것이다. 아내의 울먹이는 기도 소리에 나도 눈물이 나오기 시작했다. 뒤에서는 아내가 눈물을 흘리고 앞에서는 내가 눈물을 훌쩍거리고 있으니 처음 이곳 교회를 방문하신 목사님은 아마 어리둥절하셨을 것이다.

 나는 미처 화장지나 손수건도 준비하지 않았기에 손으로 눈물을 닦으며 흐르는 눈물을 멈추게 하려고 무심코 성경을 펼쳤고 펼쳐져 있는 성경 구절을 마음속으로 읽었다. "주께서는 무소불능하시오며 무슨 경영이든지 못 이루실 것이 없는 줄 아오니 무지한 말로 이치를 가리우는 자가 누구니이까." 나는 무소불능하신 하나님이라는 말씀을 되새기며 그 의미를 생각하고 있는데 앞에서 설교하시던 목사님의 "주께서는 무소불능하시오며"라고 강하게 들려오는 음성에 깜짝 놀라며 내 귀를 의심하였다. 내가 방금 읽고 있던 그 말씀을 강단에 계신 목사님이 말씀하신 것이다.

성경 66권의 그 많은 말씀 중 무심코 성경을 펴고 읽고 있던 성경의 말씀을 강단의 목사님이 말씀하시다니 나는 너무나 놀라운 이 음성을 하나님의 음성으로 받아들였다. 예배가 끝나자 나도 모르게 불편한 몸을 일으켜 앞으로 나가 목사님 두 분과 성도들이 지켜보는 가운데 처음으로 신앙고백을 하게 되었다. "이제까지 저는 겉으로만 성도였습니다. 오늘 이 자리에 저의 죄를 하나님께 고백합니다. 오늘 만난 하나님께 죽도록 충성하며 충심으로 하나님을 섬기겠습니다. 이후 주일 성수와 십일조 생활을 하겠습니다."

돌발적인 나의 행동에 강단의 목사님도 놀랐으며 예배 후 강사 목사님은 나의 사연을 자세히 듣고 누구에겐가 전화하셨다. 2시간이 지난 후 광주에서 어느 부부가 우리 교회를 방문하셨는데 그분은 외과 의사로 방글라데시로 해외 선교를 위해 준비하고 계시는 분이었다. 내가 허리 수술을 앞두고 있다고 하니까 평소

송진 신 교사님과 함께 (왼쪽 주성수목사)

에 알고 계시는 이 의사 선교사분을 나의 건강을 위해 우리 교회에 오시도록 요청한 것이다

이분(권대성)은 나의 MRA 사진을 보시면서 아무래도 자신은 일반외과 전문의이기에 정형외과 분야의 자기 동료 의사에게 문의해 보겠다고 전화를 하시더니 그분과 통화 내용에서 디스크가 파열되었다고 다 수술을 하는 것이 아니므로 좀 더 상태를 지켜보면서 수술하는 것이 좋을 것 같다는 의견을 말씀하신 것이다.

이처럼 교회에서 발생한 일련의 과정을 보면서 생면부지의 의사까지 보내주신 하나님이 나를 치유해 주실 것이라는 확실한 믿음을 갖게 되었고 즉시 광주 우리 병원에 전화하여 수술 예약을 취소해 버렸다.

나는 수술 없이 병이 치유될 것이라 확신하며 의사 선교사님이 소개해준 병원에서 진찰받은 후 주사를 맞고 며칠 분의 약을 먹고 나서 차츰차츰 걷는 시간을 늘려 가는데 다리에 갈수록 힘이 생겨나는 것이다. 얼마 후 병원에 가지 않고 아무런 치료를 받지도 않고 100m, 200m를 걸어도 불편 없이 걸을 수 있었으며 드디어 미암 산악회 회원들과 함께 지리산 정상까지 등반할수 있게 된 것이다. 살아계신 하나님의 역사로 파열된 디스크가 치유되는 놀라운 하나님의 은혜를 체험하였다. 아내의 눈물 기도를 들으신 하나님은 나의 질병을 치유하여 주신 것이다.

※ 또 경고를 무시하므로

퇴직을 앞두고 앞으로의 진로에 대해 많은 생각을 하고 있던 어느 날이다. 출장 오신 농협중앙회 지부장을 비롯한 여러분과 점심을 먹게 되었는데 이분이 과음하자 술을 마시지 못하는 사람은 농협 조합장 할 수 없노라 말을 하는데 손위의 나의 면전에서 나를 비웃는 말과 같았다 그 자리에서 뭐라 응대할 수 있지만 그래도 직장 질서가 있는데 내가 참는 것이 편한 길이라 생각하며 묵묵히 견디어 냈다.

며칠 후 전·상무 협의회 회장을 맡은 나는 회의가 끝나고 그분과 저녁 회식 자리에 동석하게 되었다. 하나님의 뜻을 따라 살아가겠노라. 다짐했던 약속을 뒤로한 체 오늘만큼은 취하도록 마시겠노라. 마음을 먹고 그분이 주는 대로 오기로 술을 마셔버렸다. 얼굴이 빨개지는 게 흠이지 비틀거린다거나 토한 적이 없기에 나름대로 술에 자신감은 있었다. 전혀 술을 입에 대지 못한 것으로 생각했던 그분은 새삼 놀라는 눈치였다.

그 이후 나는 또다시 모임의 자리에서 그분과 술을 마시게 되었다. 내가 술을 마시려 함은 나도 술을 잘 마실 수 있음을 보이기 위함이다. 지난번 술을 마실 때보다 더 주는 대로 마시며 자신을 과시했다. 그 이튿날 잠에서 깨어난 나는 뭔가 몸에 이상 신호가 느껴졌다. 허리의 통증이 다시 온 것이다. 날이 갈수록 더욱 허리의 통증은 심하여졌다. 하나님의 은혜로 치유되었노라 간증까지 했던 나는 또다시 허리통증에 시달리게 되니 부끄러운 모습이었다. 감히 하나님 앞에 서원해 놓고 절제하지 못하므로 다시 병을 얻게 된 것이다.

큰 병원에서 진료받기 위해 서울로 가야 하는데 통증 때문에 고속버스나 열차로 올라갈 수가 없어 아들 '시온'을 내려오라 하여 승용차로 상경하였다. 전국적으로 유명한 분당 삼성병원을 찾아갔다. 담당 의사께서 전 MRA와 현 MRA를 비교하면서 '전에 통증이 생긴 4~5번 디스크는 수술하지 않고도 제가 이해할 수 없이 치유되어 있군요. 지금의 통증은 5번과 꼬리뼈 사이에서 발생하고 있습니다.'라고 하는 것이다. 지난 아픔은 하나님이 치유해 주셨음을 입증하는 의사 선생님의 말씀이었다.

하나님이 치유했다고 간증까지 했는데 다시 수술한다면 교회에 덕이 되지 않을 것 같아 어떻게 하든지 수술을 하지 않고 치료될 수 있는 방법을 찾던 중 당시 TV에 잘 나오는 고도일 신경외과 병원을 찾았다. 즉시 통증이 멈출 수 있다는 '고주파 수핵 감압술'이라는 시술을 했는데 아무런 효과가 없었다. 발가락이 마비되기 시작했고 또다시 왼쪽 다리에 힘이 없어진다. 단 10분도 서서 식사할 수 없을 정도로 통증이 오기 시작한다. 비수술 요법인 인대 강화 주사 요법을 치료하면 좋아질 수 있다는 말에 수술하지 않고 주사를 맞으며 동생 집에서 계속 진통제를 복용하며 종일 누워있었다. 진통제 다량 복용으로 얼굴은 통통 부어 있었다.

그때 내가 할 수 있는 것은 하나님께 매달려 나의 잘못을 고백하며 기도하는 것뿐이었다. 그러던 어느 날 "볼지어다. 하나님께 징계받는 자에게는 복이 있나니 그런즉 너는 전능자의 경책을 업신여기지 말지니라. 하나님은 아프게 하시다가 싸매시며 상하게 하시다가 그 손으로 고치시나니"라는 성경 말씀이 내 가슴에 와닿는다. 내가 아픔은 징계의 결과다. 회개하면 다시 싸매시겠다고 약속하신다.

내 동생 문용이 집에서 TV를 보는데 만나 교회 김병삼 목사님의 모습이 보였다. 내가 첫 번째 병 고침을 받고 하나님 말씀을 사모하면서 기독교 방송 TV를 즐겨 보게 되었는데 방송에서 '하나님 돈이 좋아요'라는 제목으로 설교하시는 김병삼 목사님의 말씀에 많은 은혜를 받았다. 나는 동생에게 만나 교회 김병삼 목사님으로부터 TV 설교 말씀을 통해 많은 은혜를 받았다. 고하니 그 교회가 동생 집에서 20여 분밖에 걸리지 않는 가까운 거리에 있다는 것이다. 나는 갑자기 그곳 교회에 가고 싶은 마음이 생겼다. 많아야 1시간 반 정도의 통증을 꾹 참고 견디어 내겠노라 생각하고 동생에게 일요일 그곳 교회를 함께 가자고 하였다. 어떻게 10분도 제대로 앉아 있지 못하면서 그곳에 가겠다고 하느냐며 염려한 동생과 함께 2007년 12월 9일 만나 교회를 찾았다.

　예배 시간이 거의 다 되어서 도착했는데 입구에서 두리번거리는 우리 형제에게 어느 성도님이 예배 장소인 2층 '시온 성전'으로 안내하면서 제일 앞자리가 비었다고 그곳으로 우리 형제를 앉게 하였다. 내 아들 이름이 '시온'이기에 더욱 좋았다. 제일 앞에 앉아 예배를 드리는데 목사님의 말씀이 선포되기 전에 통증이 다가온다. 제일 앞에 앉아 있기에 도중에 일어서 나올 수도 없었다. 꾹꾹 참고 목사님의 말씀에 귀를 기울여야 통증을 잊지 않을까 생각하며 말씀에 귀를 기울인다. 목사님은 설교하시면서 처음 오신 분 손을 들라고 하여 손을 들었는데 제일 앞에도 계시는군요 하시면서 우리에게 일어나라 하신 후 축복해 주셨다.

　그날 '불안하십니까?' 제목으로 말씀을 전하는데 허리통증으로 힘들어하는 나를 위한 말씀이었다. 말씀을 받아들이며 마음속으로 불안에서 벗어나 주님 안에서 평안을 누리도록 기도하는데 그 아픔의 통증이 이상하게도 통증이면서 고통의 통증이 아닌 편안의 느낌이 오는 것이다. 나는 예배를 마칠 때까지 용케 통증을 참고 도중에 일어서지 않았으며, 처음 나오신 분들을 환영하는 목사님과 기념사진도 찍었다. 정말 또 이해할 수 없는 일이 나에게 나타난 것이다. 그 이후 차츰 건강이 회복되었다.

'기도는 대체 의학이다.' 주님은 나의 기도를 응답해 주셨다. 그러나 지금도 왼쪽 발가락 일부가 마비되어 감각이 둔한 느낌이 있다. 그렇다고 이것까지 치유해 달라고 기도하지 않는다. 마비된 부분을 생각할 때마다 다시는 다른 길로 가지 않도록 다짐하는 계기가 되기 때문이다. 그 이후 동생은 만나 교회 집사가 되었다. 나의 아픔을 통해 동생 가족을 하나님 품으로 인도하신 것이다.

3. 1인은 만인을 위해 만인은 1인을 위해

❉ 무화과 예찬

농협의 주목적은 농가소득 증대와 복지 증진이다. 나는 농가소득 증대 작물로 복분자, 석류 등 특수 작물 재배에 관심을 가졌으나 다른 지역에서 먼저 선점하였기에 내려놓고 '양하'를 대체 작물로 생각했다. 양하는 KBS1 교양프로그램 '한국인의 밥상'에서 '흙 속에서 피는 작고 향기로운 채소'로 소개되었다. 음식 맛하면 전라도이며 전라도에서 가장 유명한 곳이 해남 윤씨 종갓집 맛이라고 한다. 산채 한정식도 맛있지만 가장 내세우는 음식이 '양하'이다.

'양하'는 제주도와 전남지역에서 자생하는 생강과 식물로 독특한 향을 내는 알파 피넨이 있어 혈액순환을 원활하게 하며 비타민 C, 아연 등의 영양성분이 풍부하여 면역 기능 향상. 뼈 건강, 해독 작용은 물론 빈혈 예방 등 여성 건강에 좋다고 알려져 있다. 집에서 재배하고 있는 '양하'를 가을에 수확하여 목포 젓갈 상회에서 전어젓(일명:납삭 젓)을 구매 함께 숙성시켜 놓으면 맛있는 양하 젓갈이 된다. 해마다 내가 생산하여 숙성시킨 양하 젓갈을 식당을 경영하는 동생에게 보내는데 밑반찬 주메뉴로 인기가 대단하다. 양하 식품개발을 위해 공장용지까지 매입했던 나는 계룡에 거주하게 되므로 뜻을 이루지 못했다.

양하와 더불어 관심을 가진 농산물이 무화과다. 어느 날 집 뜰에 심어놓은 무화과 한 바구니를 따서 가족과 함께 먹던 중 바로 이거라는 생각이 떠올랐다. 아담과 하와가 무화과 잎으로 벗은 몸을 가렸던 태초의 과일 무화과는 비타민, 미네랄, 항산화물질이 풍부하며 마그네슘, 칼슘 등이 포함되어 있어 소화기 건강은 물론 심혈관 질환, 면역력 강화에 효과가 크다. 특히 항암물질이 다량 함유된 맛있는 과일인데 저장성이 약하여 이제껏 노상 판매에만 의존하고 있었다.

그 무렵 무화과를 처음 재배한 삼호면의 삼호농협에 근무하면서 나는 뜻밖의 어느 기업인과의 대화 중에 생선을 스티로폼 상자에 아이스 팩을 넣어 신선한 상태로 배송하는 것처럼 무화과를 이와 같은 방법으로 사용하면 성공할 수 있을 것이라는 생각이 떠올랐다. 나는 모험을 걸었다. 시장에서 여러 모양의 스티로폼 상자를 구매하여 다양한 방법으로 무화과를 넣는 방법을 모색하였다. 주변에서 나에게 전무로서 직분을 망각하고 쓸데없는 일에 신경을 쓰고 있다고 말하나 사무실 비용이 아닌 개인의 부담으로 실패를 거듭하면서도 포기하지 않고 시도하였다. 당시 나는 퇴직 후 공인중개사를 하기 위해 시험 준비를 하고 있었으나 지금 내게 중요한 것은 공인중개사 시험이 아닌 내가 근무하는 직장 책임자로서 뭔가 보람된 성과를 나타내는 것이 공인으로서의 사명이라 생각했다

먼저 무화과를 넣을 스티로폼 상자가 있어야 하고 무화과는 열매껍질이 얇아 잘 물러지므로 무화과와 무화과 사이에 씌워야 하는 PET 용기, 아이스 팩 등 포장에 필요한 제품들의 적절한 규격을 살피면서 4개월의 준비과정을 거처 정말 남들이 미쳤다 할 정도로 열정을 다하여 포장지 개발 시험단계까지 이르렀다. 먼저 가까운 친척들에게 택배로 보내면서 무화과 도착 상태의 품질 이상 유무를 꼼꼼히 살펴보면서 저장성이 약한 무화과를 택배로 발송하여 그 이튿날 소비자가 직접 먹을 수 있다는 가능성을 확신하였다. 그런데 중요한 것은 무화과 구매 원가에 포장비, 택배비 포함 적절한 이윤을 포함하여 예상 판매가격을 정할

때 소비자가 부담 없이 살 수 있겠느냐가 관건이었다. 다행스러운 것은 스티로폼 상자가 부피가 커서 먼 거리에서 구매는 운송비 부담이 큰데 바로 삼호읍의 스티로폼 공장에 규격에 맞는 상자가 있어 금형 비용이 들지 않아 크게 원가가 절감될 수 있었으며 그 당시 택배 사업이 활발하게 전개될 무렵이며, 인터넷이 한참 활성화되는 시기여서 삼박자가 맞아떨어졌다.

때마침 나는 동아보건대학 전자상거래 과(야간)를 다니면서 홈페이지 제작을 공부했기에 삼호농협 홈페이지를 직접 초안을 만들 수 있었으며, 광고 유인물도 비용 절감을 위해 전문 사진작가에게 의뢰하지 않고 내가 직접 수십 장의 사진을 찍어 마음에드는 무화과 사진으로 디자인하였다. 낙엽 잎까지 판매하는 일본인의 기법을 도입하여 무화과 상자 안에 넓적한 무화과 잎을 넣고. 선별하고 남은 과일을 잼으로 만들어 조그만 케이스에 넣어

덤으로 드렸다.

이렇게 시작된 아이스팩을 이용한 무화과 선물 세트를 농협 홈페이지를 통해 판매하기 시작했다. 처음이라 시행착오도 많았다. 전용 냉동 창고가 없어 농협마트의 냉동실에 아이스백을 얼

렸는데 주문이 폭주하여 하루만 얼려 보냈더니 다 녹아버려 상품을 버렸다는 연락이 왔다. 하루 얼리는 것과 3일 얼려 보내는 것과 현저한 차이가 있었다. 선별 장소도 없어 처음에는 숙직실에서 시작하는 등 난제가 한두 가지 아니었다.

그동안 어려움이 많았으나 드디어 환호성이 터진다. 서울에서, 제주도에서 처음 먹어본 무화과가 맛있다면서 이웃에게 소개하므로 주문이 폭주했다. 숙직실에서 작업했던 선별작업을 감당할 수 없었고 농협 마트에서 얼리던 아이스팩도 냉동 창고를 임대할 정도로 판매량이 늘어났다. 한마디로 대박이 났다. 농민들만 대박이 난 것이 아니라 스티로폼 공장은 야간근무까지 하며 제품을 생산하게 되었다. 택배업체도 즐거운 비명을 질렀다. 좋은 상품의 무화과가 없어서 못 팔 정도가 되니 무화과나무를 파내던 농민들은 이제 다시 무화과를 심게 되었고 농민들에게 수십억 원의 소득을 안겨주므로 지역경제가 되살아났다.

삼호농협의 인터넷을 통한 이색적인 농산물 판매에 대해 농민신문사에서 대서특필하였으며 급기야 군청에서는 무화과 생과 판매와 가공식품 개발의 필요성을 인식하고 무화과 선별장과 냉동 창고 지원자금을 제공하므로 새로운 용지를 매입하여 선별장 및 가공 공장을 착수하게 되었다. 그 이후 홈쇼핑 판매, '수소'를 통한 포장지 개발 등 다각적인 방안을 구상하던 중 정년을 앞두고 고향 농협으로 옮겨가게 되어 아쉬움이 있었으나 그 당시 내가 착안한 무화과 식품개발 장기 프로젝트 계획이 이후에도 차질 없이 실행되어 농민들에게 많은 소득을 안겨주므로 보람을 느꼈다.

※ 농민을 도우려다

전에는 벼를 생산하여 햇볕에 말려 농협에 출하했으나 지금은 RPC 공장에 산물 상태로 출하한다. RPC 공장이 처음 생겼을 때 내가 근무하는 농협에는 이런 시설이 없어 민간 업자에게 의뢰할 수밖에 없었기에 도정업자에 5억 원 범위의 담보물을 받아 농민들이 생산한 벼를 이곳에 산물로 출하하도록 하는데 담당 직원이 농민들의 편의를 고려해 담보물 한도가 초과하여도 농민들의 요구를 다 받아들이다 보니 약정 한도의 3배가 초과한 15억 원이 넘게 되었다.

재력이 많기로 소문나 있어 부도가 나리라고는 전혀 예측하지 못하고 나도 농민들의 편의를 위해 방심하고 있었는데 그만 그 도정업자가 부도가 나므로 내가 그 도정업자와 가까워 업자의 편의를 봐주었다며 농협이 손실 보게 될 모든 책임을 나에게 묻는 것이다. 그 업자를 믿고 관리에 소홀히 한 책임이 있기에 정말 힘들었다. 이 일을 해결하기 위해 그 도정업자의 담보 제공 외의 부동산에 가압류 조치는 물론 나를 비롯한 일부 직원들이 경매에 참여하여 다행히 손실 없이 마무리되었다.

그때 피해를 최소화하기 위해 담보물의 경매에 참여해 낙찰된 직원들은 오히려 부동산 가격이 상승하여 큰 이익을 보기도 했다. 그때 일을 생각하면 지금도 아찔하다. 농민들의 이익을 위해 무리하게 추진하다 오히려 큰 낭패를 당할 수 있었다.

※ 고향 쌀 팔아주기 운동

내가 근무했던 삼호읍은 현대 삼호 중공업 조선소와 대불공단이 있으며 바다를 막아 간척지를 만들어 벼가 많이 생산되는 곳이다. 당시 영암군에서는 관내에서 생산되는 쌀을 판매하기 위해 가마당 판매 수수료를 직원들에게 장려금으로 주는 제도가 있었다. 나는 이 현황을 직원들에게 주지시키면서 당시 택배 사업이 전국적으로 활성화되는 시기로 인터넷을 통해 판매함으로 우리 지역 쌀도 팔고 장려금도 받았으면 좋겠다며 쌀 판매 방안에 따른 분임 토의를 하였다. 일방적인 지시보다 쌀을 팔아야 하는 동기를 부여하므로 그들의 마음을 자극하여 스스로 움직이게 하는 것이 내가 해야 할 일이라 생각하며 방향을 제시하고 직원들이 활발히 토의 하도록 하였다.

어느 날 예금계를 담당하던 직원이 인터넷을 통해 쌀 판매를 첫 시도 했는데 생각했던 것보다 잘 팔리자 다른 직원들도 통신 판매를 시도했다. 친척, 출향인 등 지인을 상대로 하던 판매는 갈수록 주문량이 늘어나게 되었고 부수적으로 무화과 고추 고구마 잡곡까지 판매하였다. 고향 쌀이며 더욱 간척지 쌀이라는 인식이 널리 퍼져 주문이 밀려온다. 인터넷을 통한 쌀 판매를 처음으로 해본 일들이라 흥미도 있었다. 창구에 있는 직원들이 틈만 있으면 본연의 업무를 마무리한 후 밤늦은 시간에도 퇴근하지 않고 쌀을 판매하며 서로 선의의 경쟁을 한다. 아내도 쌀 판매에 동참하여 많은 물량을 팔아주었다.

RPC (쌀 도정공장)도 없는 농협에서 도정공장 못지않게 쌀을 팔고 있는 모습이 영암군은 물론 농협 전남도지부에 알려지고 지역신문에 소개되었다. 직원 모두가 일방적 지시에 의한 판매가 아니라 자발적으로 열정으로 참여하다 보니 업무가 활성화되고 영암군 산하 단체들이 삼호농협의 판매 방향을 보고 도전을 받아 동참하므로 「영암 달마지 쌀」이 전국에 인기리에 판매될 수 있는 계기가 되었다. 예금 창구에서도 쌀을 판매할 수 있다는 자신감이 그들에게 있었다.

그때 고향 쌀 팔아주기에 적극적으로 동참했던 서울의 김철수, 최준석, 대전의 김영채 친구, 오히려 값비싼 경기미보다 밥맛이 좋다며 고향 쌀을 꾸준하게 구매해준 안양의 해태식당 강영진 사장님, 그 밖에 출향인의 고향 쌀 팔아주기 운동에 동참한 분들의 도움은 지금도 잊히지 않는다. 그들의 고향 사랑의 정신이 있었기에 농민들은 희망을 버리지 않고 기쁜 마음으로 농촌의 꿈을 이루어가는 것이다.

영암 달마지 쌀

❈ 정정당당한 아버지의 모습을 보고 싶습니다.

나는 신학을 하면서도 목회할 생각을 하지 않고 '금융복지 상담사'를 하고자 했다. 농협에 근무했기에 상담사 자격시험을 자신 있게 도전했으나 어이없이 낙방해 버렸다. 당시 나의 거주지 농협이 흡수 합병된 상황에서 지역의 자존심이 있다며 주변에서 농협에 근무했던 나에게 농협 조합장에 출마해 보라고 권유하였다. 이동조합 합병 때 농협에 첫발을 디딘 후 37년간 농민들과 호흡을 함께 하면서 지역 농업. 농촌의 발전을 위해 내 나름대로 풍부한 경력과 경험을 바탕으로 농민의 권익 옹호와 소득 향상을 위해 역량을 발휘할 수 있겠다는 자신감이 있기에 명예가 아닌 정말 농업. 농촌의 기수 역할을 하고 싶은 마음이 생겼다.

선거에 출마하려면 사전에 세밀한 계획을 세우고 수년 전부터 준비해야 하는데 전혀 생각하고 있지 않은 나는 뜻밖의 권유에 불현듯 나서게 되었다. 상대 후보는 초선 현직이며 내가 거주하는 면보다 조합원 수가 많은 지역으로 여러 가지 면에서 내가 열세 임에도 불구하고 나선 것이다. 지금 생각해 보면 스스로 판단하지 못하고 주변의 권유와 농촌에 기여하고 싶다는 단순한 꿈으로 나선 무모한 길을 선택한 것이다. 선거 한 달을 앞두고 한창 선거 열기가 무르익어가는 무렵에 그만 맹장에 걸려 15일간 입원해야 했다. 도중에 포기하고 싶어도 지지자들의 뜻과 지역 간의 대립 양상이 되어 포기할 수도 없었다.

특히 농협 「조합장 선거는 돈 선거」라 하듯이 깨끗하게 선거를 치른다는 것은 곧 낙선을 의미하기에 당선이 되어야 농민운동도 할 수 있으리라는 마음으로 자금을 준비하여 핵심 선거 운동원을 일정 장소에서 만나기로 약속했다. 그 시간에 작은아들이 아내에게 문자를 보냈다.

"상대편이 어떻게 한들 당락이 어떻게 되든 그건 중요한 게 아닙니다. 전 끝까지 부모님께서 깨끗하고 정당하게 상대하는 모습을 보고 싶습니다. 형도 같은 마음일 것입니다. 아버지 인생을 조합장 선거 하나로 빛이 바래게 하지 않았으면 합니다. 기도를 왜 하는지 기도의 의미를 다시 한번 생각해 주시고 다시 한번 말씀드리지만 전 「정정당당하게 선거에 임하시는 아버지의 모습」을 보고 싶습니다. 순수하신 지금 아버지 모습 그대로 존경합니다."

나는 금품선거에 동의하지 않은 아들의 글을 읽고 아들 앞에 부끄러운 아버지가 되지 않기 위해 깨끗하게 선거에 임하겠노라 결심하고 참모진들에게 나의 의사를 전했다. 참모들의 얼굴색이 변해버린다. 선거일이 다가오자 여러 곳에서 전화로 만나자며 각가지 유혹을 했으나 과감하게 뿌리치고 선거에 임하였다.

투표 결과 2,500여 명의 투표인 중에서 불과 8표 차이로 낙선되자 아들은 개표 현장에 참여하여 이 모습을 보고 눈물을 흘리며 '아버지 죄송합니다.'라고 말한다. 한가정만이라도 금품 수수가 이루어졌다면 내가 당선될 것으로 생각했기 때문이다. 그날 밤 나의 선거 참모진들은 다 이긴 선거를 놓쳐 너무 억울하다며 울분을 토했다. 떨어지고 나서야 비로소 "내 길은 너희의 길보다 높으며 내 생각은 너희의 생각보다 높음이니라."라는 하나님의 말씀이 떠오른다. 하나님께 묻지 않고 주변 사람의 말에 귀를 기울이며 내 생각대로 한 나의 잘못을 뼈저리게 느꼈다.

선거를 통해 내가 얼마나 사회에 무지했는지를 깨닫게 되었다

내가 믿고 의지하려 했던 분들이 내 곁을 떠나 있음을 난 발견하지 못한 것이다. 초창기 제반 규정이 정립되지 않는 시기에 노무직으로 입사한 선배의 모습이 안쓰러워 상급 기관 선배님께 부탁하여 지역농협, 군 지부, 도지회의 인사기록 카드를 정비할 무렵에 노무직을 사무직으로 바꿔치기를 하는 수법을 저질렀다. 처음에는 기능직 급여와 별 차이가 없었는데 갈수록 차이가 벌어지고 사무직은 승진을 거듭하므로 기능직에 있던 선배가 이 사실을 알고 나를 고발하려 했다. 만약 고발되었다면 나는 징계해직되었을 것이다. 이처럼 위험을 무릅쓰고 도움을 드린 그 선배이기에 내가 선거에 출마하므로 나에게 도움을 줄 것으로 기대했는데 그분의 손에서 차가움을 느꼈다. 어느 친구는 나에게 출마를 적극적으로 권유했는데 실상은 겉모습이었다. 적은 가까운 곳에 있음을 실감했다.

실로 내가 아끼고 칭찬했던 어느 후배가 나에 대한 사실과 다른 부정적인 그의 사건을 유포하고 다닌다는 소문을 듣고 절대 그럴 리 없다며 사실로 받아들이지 않았는데 그 후배로 말미암아 내가 낙선의 가장 큰 요인이 되고 보니 그를 아끼고 사랑했던 나 자신이 원망스러웠다. 군의원 출신의 한 선배가 그가 나의 반대편에 선 이유는 내가 무너져야 그가 다음 선거에 나설 수 있기 때문이었다고 말한다. 사회는 정말 냉혹함을 느낀다. 새벽 찬송에 '샤론의 꽃 예수'가 들려왔다 '나의 마음에 거룩하고 아름답게 피소서 내 생명이 참사랑의 향기로 간데 마다 풍기게 하소서' 용서하는 마음에 사랑의 향기가 풍김을 주님은 말씀하신다. 아마 당선이 되었으면 넓게 수용했을 것이다. 물론 그들의 처지에서는 내가 상대 후보보다 부족했기 때문에 상대 후보의 손을 들어 주었다고 본다. 나와 함께 했던 분들이 나에게 등을 돌림은 내가 얼마나 나 자신 위주의 삶이었다는 사실을 반성하게 했다. 아무튼 낙선의 상처는 너무 컸기에 그들에게 손을 먼저 내밀지 못했다. 지금까지 용서하며 포용하지 못한 초라한 나의 모습이다. 나의 한계점이다.

어린 나이에 경영책임자가 되다 보니 내 위주로 많은 일을 했던 것 같다. 어느 여직원이 나에 대해 좋지 않은 말을 했다는 소식을 접한 후 내가 그 여직원이 근무하는 직장으로 인사이동이 되어 함께 근무하면서 유독 그 여직원에 대해서는 잘못된 부분을 호되게 지적하므로 그 여직원이 나로 인하여 매우 힘들어했는데 어느 날 내게 결재를 받으면서 손이 떠는 모습을 발견하고 나 자신이 큰 충격을 받은 적이 있었다. 미움을 사랑으로 포용하지 못한 나의 모습은 20여 년이 지나 내가 농협 조합장 선거에 출마할 때 그 후유증이 나에게 다가왔다. 조합원으로 투표권이 있는 그녀에게 차마 손을 내밀 수 없었다.

반면에 학산농협에 근무할 때 영흥에 거주하신 고송삼 할아버지는 오토바이로 전국을 일주하면서 기록한 여행 문을 책으로 발간하고 싶은데 정서해 줄 분이 없다고 하여 내가 자진하여 도움을 드렸다. 한시(漢詩)로 되어 있어 어려움이 많았으나 인터넷 검색을 해가며 3개월 동안 정성껏 교정하여 자비로 책자를 발간하여 드렸다. 일본어, 중국어, 특히 한문 실력은 타의 추종을 불허할 정도로 뛰어나며 어른으로서 여유와 품위를 지닌 이 어르신은 병원에 입원해 계시면서도 나에게 한 표라도 주고 싶어 투표에 참여해 주심에 그 고마움을 잊을 수 없다.

정든 농협을 떠나면서

희망찬 기축년 새해를 맞이하여 여러분의 가정에 하나님의 크신 사랑이 충만하시기를 기원합니다. 이제 저는 후배들의 성장과 경영합리화를 기하는 마음으로 그동안 마음과 몸을 바쳐 근무했던 정든 농협을 떠나려 합니다. 37년여 동안 대과(大過) 없이 마칠 수 있도록 부족한 저에게 따스한 마음으로 격려와 사랑을 아끼지 않으신 여러분께 머리 숙여 감사드립니다. 한 직장에서 평생을 섬기고 일할 수 있었음은 저는 늘 혼자가 아니었고 오직 여러분의 도움과 이끌어주심이 있었기에 제가 성장할 수 있었습니다

농촌의 기수가 되겠노라 다짐하며 1971년 새농민지를 공급하면서 시작된 저의 농협 생활을 돌이켜 보면 규정도 서식도 조직마저도 갖추어지지 않았었고 계산기도 없이 주판으로 대·차편을 맞추느라 밤을 새우던 일. 선진 농촌을 꿈꾸며 시설원예를 추진하여 막 자리를 잡아가던 때 비바람 몰아치면 하우스가 넘어질까 봐 애간장이 녹던 마음도 풋고추로 고소득을 올리게 되니 보람과 기쁨으로 벅찼던 마음, 농협의 소식을 전 조합원들께 알리기 위해 4절지 소식지를 만든 것이 오늘날의 농협 소식지의 효시가 되었고 전국 농협 소식지 경진 대회에서 우수상을 받은 자부심, 농가 편의와 높은 가격 보장을 위해 융통성을 발휘하여 농가에 큰 도움을 주었던 일들이 도정업자의 부도로 채권확보가 어려워지자 부동산을 직원 여러분이 스스로 매입하여 가격을 지지하여 주므로 채권확보가 무난히 이루

어져 위기설을 잠재우고 농협의 재산을 지켜 냈던 일들이 눈에 선합니다.

무화과의 신선도 유지를 위해 최초로 아이스 팩을 이용한 포장지를 개발하였으며 더욱 전국 판로를 확보하기 위해 농협 및 농가 홈페이지를 구축 인터넷을 통해 전국에 비싼 값에 무화과를 판매하므로 길거리 판매에만 의존했던 무화과를 확실한 고소득 작목이 되도록 농산물 유통의 새로운 전기를 마련했던 일들, 쌀 판로를 개척하기 위해 시험적으로 추진했던 인터넷 달마지 쌀 판매가 영암 쌀 판매량 증가의 기폭제 역할을 하여 지역농산물 판매 공로상의 영예를 안았던 일들은 우리의 농산물 판매에 좋은 전기가 되었으며, 흉기와 폭력의 위협에도 과감히 연체 채권을 정화해 부실 농협의 오명에서 벗어난 일들, 주부, 실버 정보화 교육으로 PC실버 경진대회에서 2년 연속 1.2.3위의 우수상을 수상 지역과 농협을 빛냈던 일들이 보람으로 남습니다.

특급 태풍에 창고 슬레이트가 날아다니는 상황 속에서도 위험을 무릅쓰고 창고물건을 지키며 홍수로 마트가 침수되어 한밤중에 전 직원들이 동원되어 안간힘을 썼던 여러분들의 투혼 정신, 팔순이 넘어 오토바이로 전국 일주하신 분의 기행문을 탈고, 편집하여 제본으로 만들어 드려 어르신의 작은 꿈을 이루어 드리고, 연로하신 어르신들의 생활을 보살피기 위해 농촌 사랑 봉사단을 조직하여 어려운 이웃에게 희망과 미소를 주었던 우리들의 뿌듯한 사랑의 결실들, 전남에서 최하위였던 농협을 직원 여러분께서 혼신을 다하여 종합 업적 최우수 농협으로 탈바꿈시켰던 쾌거, 그 외에도 내 고향 쉼터 운영, 주부대학, 장수대학 개강, 영농자재 백화점, 건조저장 시설 준공(학산), 무화과 가공공장 유치, 종합회관 준공, 등 조합장님을 비롯한 임원님들을 모시고 여러분들과 함께 의욕적으로 추진했던 삼호, 학산, 미암, 금정 농협에서의 일들이 이제는 행복했던 아름다운 추억으로 남게 되었습니다.

이처럼 피와 땀으로 일구어낸 동료 여러분들이 있었기에 저의 지금이 있고 오늘의 우리 농협이 있는 것입니다. 돌이켜 생각해보니 죄송스러운 부분은 농협 간부 직원의 급여가 너무 많다 하므로 저의 급여를 농협중앙회 지침보다 과소 책정하도록 지시하므로 동료들로부터 나 혼자 잘 보이려 한다며 오히려 질책을 받게 됨은 아무리 좋은 방안일지라도 공감을 얻지 못하면 효과를 얻지 못한다는 교훈을 얻었습니다. 또한 같은 지역 사무실을 자주 오가며 경영책임자로 근무했던 일들, 한 사무실에서 부부간에 전무, 이사로 함께 이사회에 참석해야 했던 모습은 저의 과욕이라 하기보다는 어찌할 수 없는 형편이었기에 여러분께 넓은 양해를 구합니다.

한편으로 저의 농협 생활 뒤에는 어두운 모습도 많았습니다. 경영책임자인 제가 본인 채무는 물론 가족 친지 명의를 유용하여 이자도 감당하지 못하자 타 농협으로 발령받아 근무하고 있는 저에게 찾아와 채무상환 독려를 하였을 때 직원들 보기가 부끄러워 쥐구멍에라도 들어가고 싶었던 심정, 겁 없이 시작했던 가두리 양식 사업이 시행착오로 한 푼도 건지지 못해 버림은 직장인으로 타 직업에 종사하면 실패할 가능성이 크다는 교훈을 얻었습니다. 이처럼 희로애락 속의 저의 농협 생활은 제 형제 자녀를 키워주며 내 가정을 행복한 보금자리로 만들어 준 버팀목이었습니다

인생은 육십부터라 하신 선인들의 말씀처럼 이제 새로운 인생

을 향해 출발하려는 저에게 여러분의 아낌없는 성원과 지도는 큰 힘이 될 것입니다. 부족한 저를 믿고 생사고락을 함께했던 너무나 소중한 여러분들과 아름다운 추억들을 가슴속에 깊이 간직하겠습니다. 책임자로서 방향 설정이 미흡했던 부분들 좀 더 열과 성을 다하여 노력하지 못했으며 따스한 표정으로 여러분을 섬기지 못한 부족한 부분, 자주 여러분들과 정감 있는 자리를 마련하지 못하고 정을 나누지 못했던 일들을 아쉬워하며 나의 흔적을 하나하나 지우며 농협 문을 나서렵니다. 행여나 저와 함께했던 동안 저로 인하여 섭섭했던 부분 있으면 넓은 사랑으로 용서하여 주시며 뜻하시는 모든 일 이루시고 늘 건강하시고 행복하시기를 기원합니다.

감사합니다.

2009년 1월 30일

미암농협 최규용 전무 '아름다운 은퇴'

"고향인 미암농협 창설 때부터 농협생활을 시작하여 마무리도 고향에서 하게 되어 감회가 새롭습니다."

지난 2월 1일자로 후배들에게 길을 터주기 위해 37년간 정든 농협생활을 마감한 미암농협 최규용 전무(57 사진)는 "그동안 농협생활을 대과(大過)없이 마칠 수 있도록 따스한 마음으로 격려와 지도를 아끼지 않으신 여러분께 머리 숙여 감사드린다"고 덧붙였다.

미암면 춘동리에서 태어나 삼호·학산 금정농협 등에서 근무해오다 농협에 첫발을 내디뎠던 미암농협에서 명예퇴직한 최 전무는 "조합설립 때 시작한 농협생활이 벌써 37년이란 세월이 흘렀다"면서 "시작과 끝을 고향에서 하게 되어 너무나 보람되고 영광스럽다"고 겸손해 했다.

최 전무는 정년을 1년 6개월 앞두고 후배들에게 승진기회를 주고 조합의 경영합리화를 위해 명예퇴직을 자청한 것으로 알려졌다.

부인 신현심씨(53)는 삼호읍 소재 소림학교에서 지체장애자를 돌보며 봉사활동에 남다른 열정을 쏟고 있는 것으로 전해지고 있다.

4. 삶의 여정

※ 도둑 누명을 벗기다.

사무실에서 직원들의 귀중품이 자주 도난을 당하자 모두가 어느 나이 어린 직원을 의심하였다. 그 직원이 하루는 출근하지 않아 염려되어 가정을 방문하니 너무 억울하여 극단적인 생각까지 했다고 한다. 도둑 누명은 반드시 벗어나게 된다고 위로하며 근무하도록 설득하여 다시 출근했다. 어느 날 그가 숙직하기 위해 사무실에 가는데 농협마트에서 이상한 소리가 나 직감으로 '도둑이다'라는 예감이 들어 즉시 바로 앞에 있는 파출소에 연락하여 경찰과 함께 문을 열고 들어가 보니 내부 직원이 몰래 들어가다가 마트 담당 직원이 세면하고 문턱에 놓아둔 세숫대야를 모르고 밟아 텀벙 소리가 나 발각되어버린 것이다. 도둑 누명을 쓴 그 직원이 스스로 도둑을 잡은 것이다. 그 일로 나는 그 직원과 인연이 깊어졌고 그는 지금 사업에 성공한 후 고향에 내려와 지역발전에 공헌하고 있다.

바늘 도둑이 소도둑 된다는 말이 있다. 내가 초등학교 다닐 적 미암초등학교 바로 옆 이모 집에서 학용품 가게를 하였다. 그곳에서 펜을 샀는데 집에 와서 보니 한 개가 아니고 두 개였다. 펜이 끼어 있어 한 개로 착각하고 준 것이다. 되돌려 준다고 하면서도 그만 돌려주지 못했는데 그때 양심의 가책이 항상 나를 억눌렀다. 나는 직장생활을 하면서 회사의 복사 용지를 사적 일로 사용할 때, 제가 사용할 수 있는 업무추진비를 비정상적인 방법으로 사용하려는 경우가 생길 때마다 그때의 일을 먼저 생각하였다. 몰래 들어가 훔친 것만이 도둑이 아니라 사무실 복사지 한 장이라도 개인이 유용하는 것도 도둑이라는 사실을 잊지 않았다.

도둑하면 또 생각나는 일이 있다. 내가 고등학교 다닐 적 집에서 보내준 돈으로 반찬을 사서 먹으며 자취생활을 했는데 자취방에 놀러 온 고향 일 년 선배 한 분이 가신 뒤로 우리의 생활비가 없어져 버렸다. 현장을 목격하지 안 했기에 단정할 수는 없지만, 그 일로 생활비가 바닥이나 반찬을 사 먹을 수 없어 사흘 동안을 간장으로 밥을 말아 먹던 때가 있었다. 그 선배도 오죽하면 우리 생활비를 훔쳐 갔을까! 모두가 어렵게 공부하던 시절이었다.

　또 하나는 삼십 대에 우암회 모임에서 무주구천동으로 여행 갔을 때의 일이다. 텐트를 치고 야영을 하는데 장난기 많은 초등학교 교사인 친구가 새벽에 일어나 인삼밭 옆에서 대변을 보고 나오면서 인삼 한뿌리를 캐어 가지고 오므로 인삼을 넣어 맛있게 아침 식사를 준비하고 있었다. 그런데 이 모습을 멀리서 바라보고 있던 인삼밭 주인이 쫓아와 고발하겠다는 것이다. 인삼밭 주인은 자주 이런 일이 있으므로 현장을 지켜보고 있다가 일을 저지르면 나타난 것이다. 선생님이 인삼을 도둑질했다면 징계감이기에 다른 친구가 자기가 그렇게 했다면서 사정을 했는데 너무나 많은 돈을 요구하므로 협상하는데 혼쭐이 났었다. 연산에 밤나무집 여사장님이 주변에 관광객이 야산에 들어와 주인 있는 줄 모르고 밤을 줍다가 들키면 10만 원씩 배상을 받는데 밤 줍기 봉사를 나온 우리에게 밤 줍다가 혹시 모르는 사람이 줍고 있으면 말해 달라고 한다. 밤 팔아서 올리는 수입 못지않게 재미가 짭짤하다고 한다. 아마 이 인삼밭 주인도 이런 예기치 않는 수입으로 재미를 보고 있었던 것 같다.

❄ 종아리에 새겨진 글씨

내가 친형제처럼 지내던 후배와 잠을 이루지 못할 정도의 정말 힘든 관계가 있었다. 신앙인으로 모든 것을 이해하고 서로 용납하는 마음을 달라고 기도하였다. 요통으로 광주에 매주 지압을 받으려 다녔는데 어느 날 지압하신 분이 지압하려다 말고 '두 분은 얼마나 금실이 좋은지 문신까지 하고 다니느냐' 말한다. 무슨 문신을 했다고 하느냐고 반문하니 그분이 나의 종아리를 가리키는데 나의 종아리에 뚜렷이 '사랑'이라는 글씨가 새겨져 있는 것이다. 너무나 놀랐다. 지난주에 지압한 그 멍든 자국이 글씨로 변해 있는 것이다. 그 이후로 지압하는 도중에 이 글씨가 조금씩 희미해가자 아내가 기념으로 사진을 찍어두자 하여 촬영해 놓았다. 아내가 부엌에서 일하다가 그만 실수로 접시를 깨뜨렸는데 이 깨진 접시의 형태가 완전히 깨진 것이 아니라 접시 가운데가 '하트' 모양으로 깨진 것이다. 또한, 그 후 오골계 유정란을 먹기 위해 깨자 하트 모양이 나온다. 아내와 나에게 이처럼 3번이나 '사랑'의 표시를

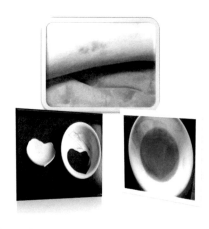

보여주는 너무나 기이한 현상을 더 품고 사랑하라는 주님의 음성으로 듣고 내가 먼저 손을 내밀어 화해를 이루게 되었다. 나중에야 아는 사실이었지만 누군가가 나와 그 후배와의 사이를 이간질하기 위해 내가 후배의 일에 간접적으로 관여하여 그 후배를 곤경에 처하도록 했을 것이라고 거짓 정보를 말했다는 것이다.

❊ 가치 있는 삶

내가 오십 대 후반에 서울사이버대학교 사회복지학과를 다니면서 실습과목으로 영암군 '사랑의 집' 요양원에 자원봉사하고 있을 때의 일이다. 요양원에 계시는 할아버지를 위해 멀리서 할머니가 음식을 준비하여 함께 대화를 나누시는 모습이 너무 아름다워 내가 그 할아버지의 우리 가락 창을 하시는 모습과 노부부가 함께 식사하며 대화를 나누는 모습을 캠코더로 촬영하였다. 지금은 스마트 폰이 있어 누구나 동영상을 촬영할 수 있지만, 그때만 해도 쉽지 않았다. 나는 부모님이 일찍 소천 하셔서 부모님의 동영상은 물론이거니와 사진도 별로 없었고 우리 형제들의 사진이 없기에 나는 아이들이 태어나서부터 성장 과정을 동영상으로 남기고 싶어 어려운 형편에서도 1981년 당시 150만 원 큰 금액으로 캠코더를 구입하여 아이들의 모습은 물론 농협의 행사, 동네 어르신들의 모습을 영상으로 남겨 두었기에 훗날 큰 선물이 될 거라 여기고 있었다. 이 노부부의 자녀들에게도 언젠가 만날 기회가 있게 된다면 이 동영상 파일을 주어야겠다고 생각하며 간직하고 있었다.

그 이후 아내의 친구 어머니께서 소천하셔 충남 영동병원 장례식장에 조문 갔었는데 그곳에서 그 할아버지 자녀를 우연히 만나게 되었다. 메일로 내가 간직한 그분의 부모님 모습을 촬영한 동영상을 보내드렸는데 그 자녀가 오래전에 이미 고인이 되신 부모님의 모습을 영상으로 보니 부모님께서 살아계신 것 같다면서 매우 기뻐하였다. 나도 이들을 만나게 하여 주심에 하나님께 감사드리며 이들에 버금가는 기쁨을 갖게 되었다. 실로 내 이웃을 위한 섬김이 내 이웃의 기쁨은 물론 나의 넘치는 기쁨이 된 것이다.

이웃 동네 흑암에 거주하는 나와 가까운 고재호 형님은 태어날 때 아버지께서 출생신고를 방치하므로 동생이 누나가 되어 있고 실 나이에 비해 7살이 적게 호적에 등재되므로 정부와 지방자치단체에서 주는 노령수당 등 혜택을 받을 수 없게 되어 이것을 안타깝게 여긴 나는 호적정정을 변호사에게 맡기면 큰 비용이 소요되므로 영암법률구조공단에 문의하여 내가 직접 서류를 준비했다. 아내가 면사무소 민원실에서 호적 업무를 담당한 경력이 있기에 아내의 도움을 받아 가며 고재호 가족들의 사실확인서, 친구들의 증인 진술서, 본인 치아 확인서, 그 형님께서 다니셨던 학산 초등학교를 방문하여 생활기록부 사본 등 모든 서류를 준비하여 목포법원 법률구조공단에 제출했는데 담당 변호사께서 호적정정 서류구비가 어려운데 잘해 오셨다면서 나에게 법무사 경력이 있느냐고 하면서 칭찬한다. 다행히 호적정정이 확정되어 노령연금과 각종 혜택을 누리니 내가 누리는 것처럼 기뻤다. 우리 집 가훈처럼 하나님의 기쁨이 되는 일에 최선을 다하리라.

가훈: 진인사대천명
최선을 다하고 결과는 하나님께 맡겨라

최규용 : 봉천
누구보다 더
하나님을 사랑하는 자

신현심 : 혜강
은혜로운 언덕을 향하여

❋ 물레방아를 돌리다.

　내가 잘할 수 있는 일이 있는데 그것은 물레방아를 두 손 놔 두고 돌리는 것이다. 지금은 모든 시설이 자동으로 되어 있으나 당시 염전에서는 물레방아로 바닷물을 퍼 올려 소금을 만들었다. 취업 준비를 하기 위해 공부만 할 수 없어 직장에 다니면서 공부할 수 있는 길을 찾아 염전 사무직으로 근무하게 되었다. 염전에 있는 주거지는 인가와 떨어진 외진 곳으로 염전에 종사했던 분이 몇 개월 전에 그곳에서 자살했다는 것이다. 무서운 마음도 들었지만 주어진 환경이기에 이겨내야 했다. 날씨가 좋아 소금 생산량이 창고 가득 채워졌는데 초저녁 무렵에 비바람을 몰고 온 태풍으로 염전이 침수되어 그 많은 소금이 모두 녹아버렸다. 내 책임은 아니지만, 관리를 맡은 나의 입장은 말이 아니었다.

　염전에서의 에피소드도 많았다. 그곳에는 소금을 담는 여자들이 필요 하는데 처녀들이 총각인 내가 있으니 자주 놀러 왔었다. 하루는 나주 동광에 거주하는 친구가 나를 찾아와 함께 잠을 자고 있는데 갑자기 창문 유리가 와장창 깨지며 큰소리가 나니 친구가 무서워 뒷문으로 도망가다가 온몸이 뻘로 뒤집어쓰는 일이 발생했다. 그 동네 청년이 여자친구를 찾아갔는데, 없으니 내가 있는 곳에 있는 줄 알고 나에게 와 행패를 부린 것이다. 그 이후 10여 년이 지나 내가 그 염전이 있던 곳의 삼호농협에 근무하게 되었는데 그때 나를 힘들게 했던 그 형님이 뜻밖에 내가 농협 직원이 되어 있는 것을 보고 누구보다 더 반갑게 맞이해 주셨다.

　내 친구가 여자친구를 사귀고 싶다고 하여 염전에서 알게 된 지인을 소개해주었다. 서로 편지를 오가며 사귀었는데 어느 날 그 친구를 만나 지금도 연락하고 있느냐 물으니 오늘 그 여자친구를 드디어 만나기로 약속했다고 한다. 그런데 그 이튿날 나에게 전화하면서 만나기로 한 날 그 여자친구가 자살했다는 안타까운 소식을 전한다. 남자친구와 사귀고 있는 것을 못마땅히 여긴 아버지가 꾸중하므로 화가나 자살해 버린 것이다. 좋은 일을 하려 했던 내 마음과 달리 상처가 되었던 일이다. 내가 아이를 낳아 키울 때 이때의 일을 교훈 삼아 간섭하기보다 격려하는 모습으로 양육하였다.

염전 물레방아

※ 깨복쟁이 친구

전OO라는 절친한 나의 친구는 늦게야 군에 입대 부산에서 복무하는 중 휴가를 나와 선임자와 불화 등 여러 가지 문제로 나와 대화하기를 원했다. 그 무렵 내가 근무하고 있는 농협에 사고가 발생하여 수습을 담당하고 있었기에 그 친구에게 사정을 말하고 만나지를 못하였다. 그런데 그 친구는 귀대 후 행불되어 나중에야 순천의 어느 야산에서 극단의 선택을 하였음을 알게 되었다. 내가 그 친구의 위로가 되어주었다면 그 길을 가지 않았을 수도 있다고 생각하니 참된 친구가 되어주지 못한 나 자신이 너무나도 원망스러웠다. 직장 일 이상으로 친구가 소중함을 깨닫지 못하였다. 오랜 세월이 흐른 후 미국에 있는 그의 여동생이 귀국하여 나를 찾아왔다. 그 친구 여동생은 나를 보는 순간 눈물을 흘렸고 못난 친구인 나는 죄책감에 사로잡혀 말 한마디 못 하고 여동생의 손을 잡고 비통의 눈시울을 적시었다.

대전에 거주하는 김영채 친구는 깨복쟁이 고향 친구이다. 그 친구는 도갓집 부자 아들로 친구 집에 큰 감나무가 한그루 있었는데 바람이 불면 새벽에 떨어진 감꽃을 주워 먹으려 그 친구집에 갔었다. 우리 어릴 적만 해도 먹을 것이 부족해서 소나무 껍질을 벗겨 먹었으며 삐삐, 띠 뿌리를 먹고, 땅개비, 메뚜기를 잡아먹던 시절이었다. 이 세상에서 제일 맛있게 먹어본 음식이 무엇이냐고 묻는다면 달걀 껍데기에 쌀을 넣고 화로 숯불에 익혀 먹던 맛이다. 그리고 이 친구 도갓집에서 술을

만들기 위해 쌀을 쪄놓았던 술밥을 몰래 훔쳐 먹던 맛이라 할수 있다. 그만큼 쌀이 귀하고 먹을 것이 없던 시절이었다.

초등학교 입학 전에 그 친구 집에 있는 주조장 창고에 들어가 막걸리가 무엇인지 모르고 그 친구가 나보다 많이 마셔 술에 취해 비틀거려 혼쭐났던 추억이 지금도 잊히지 않는다.

이처럼 다정했던 소꿉친구가 내가 갑자기 이곳 계룡으로 오니 친구가 보고 싶어 내가 섬기는 교회를 찾아왔다. 개척교회 몇 명 되지도 않는 성도들과 예배를 드리는 모습을 보고 믿음을 가지고 하나님을 섬기는 것이 아닌 친구의 모습이 너무 안타까워 자리를 메우는 심정으로 부부가 참여하였다. 섬기지 않는 자가 예배에 참석하여 말씀을 듣는 시간은 지루함, 고통일 것이다. 그럼에도 참고 들어주었다. 친구를 위해서이다. 이제는 어엿한 부부 집사로 매 주일 대전에서 이곳까지 점심을 준비해 성도들을 대접하는 신실한 주님의 일꾼이 되었다. 이 모습이 내 얼굴에 미소를 머금게 했다. 이 친구가 바로 노랫말처럼 나의 힘이요 보배로 나를 외롭게 하지 않는 천년 지기 멋진 친구이다.

5. 이름 없이 빛도 없이

❋ 가르치는 자와 좋은 것을 함께하라

몇 년 전 아내의 생일날이었다. 오늘은 어떻게 아내를 기쁘게 해줄까 생각하고 있었는데 아내가 당시 서운한 관계에 있던 목사님 부부께 먼저 손을 내밀고 음식을 대접하자고 했다. 전화하니 다른 교회 목사님 부부와 함께 계시기에 그럼 같이 대접하고 싶다고 하니 흔쾌히 승낙하여 목포 가는 길목 서창 저수지 옆에 있는 떡갈비 식당으로 초대하였다. 받는 자보다 주는 자가 복이 있다는 말씀처럼 정말 즐거운 마음으로 음식을 대접하고 나니 오랜만에 흐뭇한 느낌이었다. 기쁜 마음으로 음식을 대접한 후 목포 유달산 구경을 마치고 집으로 가려는데 육교에 걸려있는 현수막에 목포 사랑의 교회에서 극동방송 개국 기념 우리나라 CCM(현대기독교 음악)의 거장 박종호 가수를 초청하여 '부부 사랑 콘서트'를 실시한다고 쓰여 있어 그곳에 참석하였다.

우리나라 제일가는 테너 가수라 할 수 있는 박종호 가수는 자신의 간증과 찬양을 통해 3,000석의 관중을 매료시켰다. 열기가 무르익고 있는 무렵에 여기 참석하신 부부 중에 오늘이 결혼기념일이신 분은 손들어 보라고 했다. 내가 번쩍 손을 들었는데 주위를 보니 아무도 손을 든 사람이 없었다. 박종호 가수가 부부 같이 무대로 나오라고 하여 아내의 손목을 잡으니 아내는 나가지 않으려 한 것을 내가 억지로 손을 잡고 함께 무대로 나갔다. '결혼 몇 주 년째입니까? 29주년입니다. 어느 교회를 섬기십니까? 영암군 미암 그리스도의 교회를 섬기고 있습니다. 아 영암 미암 그리스도의 교회요 멀리서 오셨군요.' 박종호 가수는 우리 부부를 위해 축가 송을 불러주셨다. 아내가 우리 부부를 위해 땀을 흘리며 열창을 해주신 박종호 님 얼굴의 땀을 아내의 옷깃으로 씻어드리자 관중들이 큰 박수로 호응하였다. 그야말로 각본 없는 한 편의 드라마로 분위기를 한층 더 무르익게 했다. 그리고 장미꽃 한 송이와 자신의 음반을 선물로 우리 부부에게 기증하면서 다시 한번 어느 교회냐고 묻더니 우리 부부와 미암 그리스도의 교회를 위해 축복해 주었다.

넘치는 기쁨으로 귀가하는 도중에 아내는 나에게 왜 결혼기념일인 사람 손을 들라고 했는데 당신이 손을 들었느냐는 것이다. 난 깜짝 놀랐다. 난 생일인 사람 손들라고 한 줄 알고 당신 대신 내가 손을 들었다고 말했다. 내가 "결혼기념일"이라는 말을 '기념일'이라는 말만 귀담아 듣고 '생일기념일'로 착각한 것이다. 평소에 대중 앞에 나를 나타내는 것이 싫어서 모임에서도 항상 뒷좌석에 앉아 있는 나의 성격에 비할 때 담대히 손을 들고 나간 사실은 나 자신이 생각해도 놀라운 일이었다.

그 이후 군산교도소 아버지 학교 봉사 활동을 가면서 차에서 함께 가는 형제님들과 자기소개를 하는데 미암그리스도의 교회를 섬긴다고 하니 어느 분이 며칠 전 사랑의 교회에서 축복송 받으신 분도 미암 그리스도의 교회에서 오셨던데요 하는 것이다. 바로 그 사람이 저입니다. 했더니 아, 그러냐고 하며 반긴다. 박종호 가수가 미암 그리스도의 교회를 2번이나 반복하여 소개하므로 거기에 모인 관중들이 미암 그리스도의 교회를 기억하게 된 것이다.

담임 목사님께 음식을 대접하므로 성령 하나님이 우리 부부에게 복을 내리시어 대한민국 최고의 가수로부터 축복 송을 받게 하셨으며 또한 우리 부부를 통해 그 무대의 분위기를 절정에 이르게 하셨다. 더욱 내가 섬기는 미암 그리스도의 교회를 목포권 전역 3,000여 명의 성도들에게 소개하게 한 것이다, 내가 거주한 미암면 중앙제일교회 목사님께서도 그날 참석하여 우리가 나오자 너무 반가웠다면서 사진을 찍어서 보내주시며 축하해주었다. '가르침을 받는 자는 말씀을 가르치는 자와 모든 좋은 것을 함께 하라'는 말씀에 따라 섬김이 나에게 넘치는 기쁨으로 돌아왔다

미암 그리스도의 교회 성도들

※ 아버지 학교에서

두란노아버지학교에서는 행복한 가정을 위해 남편으로 아내를 더욱 사랑하고 아버지로서 자녀에게 선한 영향력을 끼치는 존경받는 남편과 아버지의 책임과 의무를 다하도록 가르치고 있다. 직장에서의 직분은 사표를 낼 수 있고 남편의 역할도 사표를 낼 수 있지만, 아버지의 자리는 사표를 받아 주지 않는다. 아니 사표를 낼 수가 없다.

내가 아버지 학교를 알게 된 것은 매제가 목포 아버지 학교를 섬기면서 많은 변화를 보였기에 나도 등록하게 된 것이다. 아버지 학교는 내가 기대한 것 이상으로 많은 것을 깨우쳐 주었다. 5주 동안 아버지 학교를 통해 남편다운 남편, 아버지다운 아버지가 되기 위해 어떻게 해야 할 것인가를 새롭게 다짐하는 시간이 되었다. 아버지 학교에는 숙제가 많은데. 이미 소천하신 아버지께 편지쓰기 숙제를 하면서 이제껏 잊고 살아온 아버지를 생각하며 눈시울이 뜨거워졌다.

아내와 자녀가 사랑스러운 20가지를 적을 때마다 가슴이 찡해진다. 사랑하는 아내와 자녀에게 편지쓰기를 통해 남편과 아버지로서의 정체성을 깨닫고 가족의 소중함을 깊이 인식하게 되었다. 더욱 사랑하는 아내와 자녀들의 답장을 통해 가족 사랑의 소중함을 재인식하였다. 사랑의 대상자인 아내와 자녀들이 있음이 얼마나 감사한지 가슴 깊이 느낄 수 있었다.

아버지 학교를 통해 아내가 보내온 편지 내용이다.

사랑하는 당신!!

맑고 청명한 가을의 정취와 함께 마음과 몸이 살이 오르고 영혼의 풍성한 결실도 기대되는 인생의 가을을 맞은 우리는 봄의 순한 싹으로 시작되어 한여름의 강한 햇빛과 바람과 굵은 빗줄기를 견디어 그 결과물을 우리에게 허락함과 같이 지나간 우리의 삶도 빈주먹이었지만 서로의 믿음 하나로 만나 역경과 고난과 시련을 밑거름으로 이제 어엿한 두 아이의 부모요 교회의 일꾼들이요 직장과 지역사회의 구성원으로 해야 할 역할과 본분에 튼실한 열매가 되었음을 생각하며 그저 감사한 마음뿐입니다

아버지 학교를 통해 보내주신 당신의 편지를 접하고서 당신이 저에게 글을 쓰면서 뜨거워졌던 마음처럼 저도 당신이 제게 주신 사랑과 격려와 칭찬이 가슴 가득한 감격으로 마음이 뜨거워졌습니다. 한편으론 당신이 제게 갖는 많은 신뢰와 믿음을 확인하는 순간 오히려 죄송하고 부끄러운 마음도 있었습니다. 당신이 제게 갖는 칭찬은 저의 역할과 기여가 있어서라기보다 순수하고 깨끗한 당신의 심성이 그저 사랑으로 바라보아준 것임을 떠올리며 당신의 과분한 격려에 더욱 열심히 가정과 내 삶에 충실하여야겠다는 다짐을 해 봅니다.

우리가 결혼했을 시기에는 농촌 가정의 대부분이 어렵고 힘든 생활들이었고 또 수고하고 열심을 내지 않을 수 없는 때이기도 하였지요. 빚 속에서 시작하여 힘이 들 때도 많았지만 그저 열심히 앞만 보고 달려온 당신의 그늘에서 바쁘게만 지나온 날들이 제대로 된 아내의 역할과 서비스가 있었나. 되돌아보며 미안한 마음을 구합니다.

* 대충 차려놓고 일터로 달려간 아침 밥상에 대한 당신의 마음

이 어떠했을까?

* 당신의 지위와 연륜에 맞는 근사한 생일상을 한 번이나 차려 주었는가?

* 도배한 지 해가 지나도록 정리되지 않은 창고를 혼자서 정리 하면서 원망은 없었을까?

* 유난히 잔병치레가 많았던 당신을 예민한 성격 탓으로 돌리며 위로하고 챙겨주지 못하고 불평했을 때 얼마나 쓸쓸한 마음 이었을까

* 건강에 좋은 약과 식품을 잘 챙겨주지 못하고 바쁜 척만 했던 것을 어떻게 변명하나?

* 친척과 형제와 이웃을 초청하여 늘 함께 가진 것과 음식 나누기를 좋아하는 당신을 단지 바쁘다는 이유로 몇 번이나 그런 자리를 마련하여 주었나.

* 당신의 힘든 사회생활을 뒤로하고 나의 힘든 부분만을 늘 들어주고 위로해 주기를 바라고 당신의 마음을 헤아리지 못하던 어린아이와 같던 아내를 버거워하지는 않았을까?

* 아내로서 상냥하고 부드러운 스킨십이나 애정 표현을 얼마나 해주었을까?

* 당신의 평안한 마음을 위해 나는 얼마나 참아주었는가?

* 성숙한 신앙인의 자세로 얼마나 본이 된 삶을 살았나.

다 쓰기도 민망스러운 미안한 마음들이 있음을 고백하지 않을 수 없습니다. 당신의 이해를 구합니다. 8년여의 긴 세월을 많은 결혼 대상자가 있음에도 불구하고 딴 곳을 바라보고 있는 내게 한결같은 마음으로 순수한 마음을 주었던 당신의 정성에 우리의 결혼이 가능했고 행복한 가족을 사랑하고 배려하는 당신의 따뜻한 가슴이 우리 가정의 원천이 되었음을 부인할 수 없습니다.

내 인생의 가장 큰 만남이 하나님이라면 하나님께서 주신 가장 큰 만남의 축복이 당신임을 많은 사람 앞에 얘기한 적이 있습니다. 언제나 나의 동반자요 후원자요 지지자로 성장을 도와주었던 당신. 오늘 칭찬을 받을 수 있는 조건이 제게 있다면 그것은 당신이 이루어놓은 결과요 업적임을 얘기하지 않을 수 없습니다. 저도 당신 마음의 무거운 짐을 내려놓을 수 있는 "안전장치"요 "공명반(共鳴盤)"이요 "슬픔의 벽"이며 "연료 보급소" 역할을 잘 할 수 있도록 다짐을 해 봅니다.

평소에는 그저 부분마다 생각하다 지나가는 우리의 삶이 아버지 학교를 통해 서로의 사랑과 중요한 의미를 발견하고 간직하게 되어서 더없이 감사한 마음입니다. 이런 감사의 터 위에 우리의 기도가 늘 함께하기를 원합니다. 그 기도 제목은 평범함 속에서도 행복을 잃지 않고 하나님과 사람 앞에 순결하고 맑은 영혼을 간직하여 주님의 인도함 받기를 원하고 시온이 온유도 하나님의 큰 사랑 받고 하나님을 사랑하며 사회의 건강한 인물로 우뚝 서기를 기도합니다.

그동안 가정과 가족의 미래를 위해 끊임없이 직장과 사회 속에서 자신의 위치를 지켜오느라 너무나 수고가 많으셨어요. 이제 자신의 기쁨과 소망하는 것들을 양보하지 말고 시작하시어서 더욱 풍성한 삶의 가치를 위해 도전하시기를 바랍니다. 장한 아버지 믿음직스러운 남편으로서 든든한 버팀목으로 서 있던 당신 느티나무와 같은 그 그늘에 늘 감사와 평안히 넘치기를 기원합니다. 여보 사랑해요

-2007년 11월 목포 아버지 학교 수료식(목포신안비치호텔)
전야제에서 발표한 글-

2009년도에 '목포교도소 아버지 학교' 조장으로 섬기는 기회가 있었는데 6명의 조원 중에는 중형을 선고받고 복역 중인 젊은 형제도 있었다. 그의 모습은 내가 생각했던 모습이 아니었다. 어린아이 같은 마음, 수줍은 듯한 모습, 너무나 순수하고 티 없이 맑은 표정이었다. 어쩌다 세상 죄에 휘말려 그곳에 있는지 이해할 수 없었다. 아니 뭔가 잘못되어 억울하게 된 것은 아닐까? 그들은 반 명칭과 구호를 상호 협의하여 '한마음'이라 결정한 후 구호에 어울리는 그림을 그리며 너무나도 잘해주었기에 내가 오히려 위로받았다.

"비우자 버리자 나누자 한마음 파이팅" '한마음'이라는 조 이름은 그들에게 의미 있는 어울리는 이름이었다. 우리의 생활에서 욕심 등 비울 것 다 비우고 자존심 미워하는 마음 등 버릴 것 모두 버리고 나눔과 봉사로 살아가자고 다짐하는 그들의 모습은 나의 가슴을 뭉클하게 했다.

어느 형제의 글 내용이다. "용서하는 아들이 되지 않겠습니다. 왜냐하면, 당신은 제가 용서해야 할 대상이 아니기 때문입니다. 당신은 저의 아버지이고 저는 당신의 아들이기 때문입니다." 부모 되어 보니 자식을 사랑하는 마음은 어쩜 내 몸보다 더 사랑하려는 마음이라며 아버지를 원망하는 것이 아닌 헤아릴 수 없는 아버지의 사랑을 멋지게 표현했다. 그 형제의 모습을 본 그의 아버지는 아마 하늘나라에서 감동의 눈물을 흘렸을 것이다. 그는 정말 할 수만 있다면 제대로 효도 한번 해보고 싶다고 하였다.

어느 형제님은 홀어머니와 두 딸을 두고 그곳으로 오므로 안타까워하는 모습에 내 마음이 아팠다. '저는 효도하고 싶어도 어머니가 계시지 않기에 효도할 수 없습니다. 그래도 효도할 수 있는 어머니가 계심에 형제님은 행복하십니다.'라고 위로했다. 어느 형제는 그 어려운 환경 속에서 자신감을 잃지 않고 대입 검정고시를 준비하고 있었다. 비록 그들과 짧은 만남이지만 그들을 통해 나 자신의 부족함을 발견하였으며 눈물과 참회의 시간, 기쁨과 감동의 시간을 보낼 수 있었다.

아버지 학교는 목마른 내 영혼에 단비가 되었다. 부와 명예와 권력을 향한 질주가 우리의 진정한 행복과 평안을 가져다주지 않는다는 것을 깨닫게 하였으며 그동안 무관심으로 대했던 가정의 소중함을 인식하며 더 행복한 가정을 가꾸어 나가겠노라 다짐하는 시간이 되었다. 소천하신 아버지께 드린 편지다

아버지 실로 40여 년 만에 불러봅니다. 이제껏 고생 고생하시다가 돌아가신 어머니만을 생각하며 눈물 흘렸던 제가 며칠 전 손아래 동생 종순이 집에서 "아버지"라는 책자가 있어 읽어보던 중 어느 분께서 쓰신 "돌아가신 아버지께 드리는 글"을 읽고 비로소 아버지를 떠올리며 눈시울이 뜨거워졌습니다. 이제껏 아버지를 잊고 살아온 저를 용서하여 주십시오. 저는 지금도 아버지께서 병중에 계실 때 제가 학교에 가겠다고 집을 나서면서 문밖에서 인사를 드리자 저를 보시면서 눈물을 글썽이시면서 고개를 돌리시던 아버지의 모습이 눈에 생생합니다.

몸이 불편하셨어도 오래 사실 거로 생각했던 저는 일주일도 지나지 않아 돌아가셨다는 소식을 접하고 그때가 아버지를 뵙는 마지막 시간이 될 줄을 미처 몰랐습니다. 아마 아버지께서는 얼마 남지 않는 이 세상에서의 장남과의 마지막 이별이 아쉬워 흐르는 눈물을 감추려 고개를 돌리신 줄 느껴집니다. 아버지께서는 임종하시기 전에 어머니께 전 가족이 예수 영접하며 생활이 어려운 줄 알지만 그래도 장남인 저를 고등학교까지는 졸업시켜야 한다고 당부하셨기에 어머니께서 67~68년도의 극심했던 가뭄 속에서도 그 어려움을 무릅쓰고 저를 고등학교까지 졸업시킨 줄 알고 있습니다.

아버지! 아버지께서 돌아가시기까지 저와 가족을 위해 염려하고 기대하셨던 그 염원에 제가 기대 이상으로 크게 성공은 못 했을지라도 오늘의 화목한 가정을 이루고 사는 것은 아버지의 은혜라 생각하며 감사드립니다. 가끔 저는 직장에 근무하면서 아버지의 생존 모습을 저에게 들려주시는 분들을 만나게 됩니다. 며칠 전에는 신포리 사시는 조수만 형님을 만났습니다. 그 형이 초등학교 다닐 적에 매우 생활이 어려워 이발을 못하고 있을 때 아버지께서 조용히 부르시더니 돈을 받지 않고 이발을 시켜 주시며 또한 과자도 한 봉지 손에 쥐어 주셨는데 한 번도 아니고 몇 번을 그렇게 해주셨다면서 정말 인자하시고 고마우신 분이었다고 저에게 말씀하셨습니다.

누구에게나 사랑을 주시고 따스한 미소를 주셨던 아버지의 모습을 많은 분이 기억하고 있습니다. 저의 오늘이 있는 것도 아버지의 그 사랑의 손길이 있었음을 새삼 느껴 봅니다.

아버지 유품 면도기

제가 초등학교 다닐 때였지요. 아버지와 어머님은 이발관과 삯바느질을 하시면서 지나가는 나그네는 물론 걸인까지 저의 집에 잠재워 주시며 음식을 제공하고 노자까지 주시는 것이 매우 못마땅하여 제가 아버지께 투정을 부렸던 기억이 납니다. 이처럼 세상 사람들의 본이 되시고 참되게 살아오신 아버지께서 뇌출혈로 4년여 동안 병고에 시달리시다가 결국은 돌아가시는 것을 본 저는 사람이 착하게 살아보아야 아버지같이 병에 시달리고 고통 가운데 돌아가시게 되니 하나님도 무심하다 생각하였습니다. 더구나 어머니마저 부인병이 악화하여 반신불수로 대소변을 받아내시다 돌아가셨기에 "이 세상에 하나님은 없다"라고 생각했던 저였습니다.

그러나 아버지께서는 비록 이 세상에 사시면서 병고의 시달림과 고통 속에 사셨을지라도 돌아가시기 한 달 전에 하나님을 구주로 모시고 세례를 받고, 어머니께서도 그 헤아리기 어려운 고난 속에서 돌아가실 때는 정말 평온한 가운데 교인들의 기도와 찬송 속에 천사들의 마중을 받으며 소천하셨음을 이제는 알 수 있습니다. 하나님은 부모님께 연단의 과정을 통하여 정금 같은 믿음을 주셨으며 하늘나라로 데려갔음을 새삼 느꼈습니다. 부모님의 울며 눈물로 뿌린 씨앗에 이제 자식인 제가 기쁨으로 아름다운 열매가 가득한 단을 거두게 되었습니다. "아비의 마음을 자녀에게 돌이키게 하리라" 하신 주님의 말씀처럼 이제 부모님의 경건하신 신앙을 이어받아 저도 이 땅에 보물을 쌓지 않고 저 하늘나라에 보물을 쌓아 두신 아버지. 어머니를 닮아 가겠습니다. 아버지가 계시는 저 하늘나라의 의를 이루는 일에 한 걸음 한 걸음 앞서 나가겠습니다.

　부모님께 못다 한 효를 조금이라도 갚아 나가려는 마음으로 22년 전 부모님의 택호를 칭하여 시작한 "복산 자선회"를 통해 더 많은 사랑을 이웃과 나누어 가겠습니다. 저에 이어 그 사랑은 다시 아버지의 손자 시온 이와 온유가 이어 갈 것입니다. 아버지! 너무너무 보고 싶습니다. 만나 뵙는 그 날을 기대하며 하나님의 말씀 가운데 은혜로운 삶을 이어 가겠습니다. 아버지! 평안하소서

아버지 최태환

자녀가 사랑스러운 20가지 이유

° 부모께 순종하며 부모의 의견을 존중할 줄 안다.
° 축구. 달리기 등 모든 운동을 좋아하며 타고난 소질이 있기에
° 친구, 선후배의 관계가 원만하여 리더의 역할을 하기에
° 근면, 검소, 절제하며 꿋꿋하며 당당한 생활 태도
° 고등학교 시절 기숙사 생활에 불평하지 않고 잘 적응하기에
° 큰 비 등 재해시마다 전화를 하여 안부를 살피며 메일로
  부모와 매사를 상의한다.
° 부모님께 의지하지 아니하고 자신의 앞날을 스
  스로 개척하여 자립하려는 마음을 갖는다.

° 부족함이 많은 부모를 전혀 원망하지 않는다.
° 매사에 긍정적인 사고를 갖는다.
° 부모 생신 등 기념일을 잊지 않고 축하한다.
° 집에 오면 가사에 적극적으로 솔선수범한다.

° 단점도 장점으로 받아들이는 재치가 있다.
° 새로운 정보, 아이템을 부모께 연락하여 준다.
° 주어진 목표를 향해 좌절하지 않고 나아간다.
° 집에 오면 목사님을 만나 뵙고 교회 나가기에
° 온실 속의 화초처럼 연약하지 않고 힘든 규칙

  생활 이겨내기에
° 시온. 온유가 서로 정답게 형제간의 정을 나누기에
° 유머 감각이 뛰어나 상대에게 미소를 짓게 한다.
° 자녀 걱정으로 돈 아끼지 말고 여행 다녀오라며 부모를 극진히 모실
  줄 안다.
° 시온:고려대 경영학과. 온유:공군사관학교 입학하여 부모의 보람과
  기쁨이 되어주기에

목포 아버지 학교(2007.10.13~11.17) 17기

아내가 사랑스러운 20가지 이유

.모진 풍파 이겨내고 우리 가정을 오뚝이처럼 일으켜 세운 당신이기에

.떡두꺼비 같은 두 아들 낳아 기대 이상으로 키워온 당신이기에

.최고 득표로 미암농협 최초 여성 이사가 된 당신이기에

.지체 장애 아이와 함께하는 맑은 샘물처럼 깨끗한 성품의 당신이기에

.나를 위하여 서울 생활 버리고 시골로 시집온 당신이기에

.워드프로세서, 사회복지사, 카운슬러, 레크리에이션, 치료 레크리에이션, 풍선아트, 가정폭력, 성폭력 상담사 등 자격증을 열정을 갖고 취득한 당신이기에

.나를 전적으로 믿고 신뢰하는 당신이기에

.특유의 대화 기법을 지닌 당신이기에

.미암 그리스도의 교회의 기둥인 당신이기에

.오직 나만을 위해 헌신, 사랑하는 당신이기에

.고령에 동아인제대학 사회복지과 수석 졸업한 당신이기에

.우리 가정의 은혜로운 삶을 위해 새벽마다 기도하는 당신이기에

.물질에서 자유스러운, 나눔의 삶으로 참 행복을 가꾸는 당신이기에

.나의 한때의 실수를 참고 견디어 승리로 이겨내는 당신이었기에

.경로효친의 정신으로 덕을 베풀고 남을 먼저 생각하는 당신이기에

.사치, 체면보다 검소, 알뜰을 생활 지침으로 살아가는 당신이기에

.눈물의 기도로 기적적인 치유의 은사를 받게 한 당신이기에

.자신의 아픔은 뒤로하고 나의 아픔을 염려한 가슴 따뜻한 당신이기에

.어려움 속에서도 내 동생들을 돌보며 유학까지 보낸 당신이기에

.시어머니 대, 소변을 받아 내면서 극진히 모신 당신이기에

. 들꽃처럼 강인하면서 은은한 꽃향기 풍기는 당신이기에

목포 아버지 학교(2007.10.13.~11.17) 17기

❊ 45년 만의 졸업

　남들이 연애할 때 나는 열심히 공부하여 기어코 은행 시험에 합격하겠노라 다짐하며 학교가 가까운 곳으로 자취방을 옮겼는데 그 옆방에 여고 1학년생이 언니와 함께 살고 있었다. 샘물을 뜨러 갈 때마다 그 여고생을 만나게 되었고 좋아하게 되었다. 그녀가 피아노를 칠 때면 주판알이 굴러가지 않는다. 결국 은행 시험에 낙방의 고비를 마셔야 했다.

　쓸쓸히 그 소녀와 헤어지게 되었고 방황하던 나는 신학교를 입학하면 미국으로 유학할 수 있는 길이 있다는 말을 듣고 어릴 적부터 관심이 있었던 해외 유학의 꿈을 펼치고자 서울 강서구 화곡동에 있는 그리스도의 신학교에 문을 두드렸다. '학장님 시골에 사는 그리스도인입니다. 신학을 하고 싶은데 농촌 출신인지라 학비가 부족합니다. 그곳에서 일하면서 공부할 기회를 주시면 고맙겠습니다.'라고 간절한 소망을 담아 학장님께 편지를 보냈는데 답장이 오기를 좀 더 생각해 보라는 것이다. 재차 삼차 편지를 보내면서 애걸하니 당시 학생과장이시던 이현남 교수님은 나의 애타는 마음에 응답하시어 상경하라는 답장을 보내와 부푼 꿈을 안고 서울로 올라갔다.

　학교 기숙사에 들어갔는데 미국인의 지원을 받아 운영하기에 시설이 잘 갖추어져 당시에도 영어 회화를 잘 할 수 있도록 교육시스템이 완비되어 있었다. 비록 실력이 부족하지만, 열심히 공부하면 내가 꿈꾸던 길이 열리겠다고 생각했는데 한 달도 지나지 않아 어머니로부터 편지가 왔다. 장남으로서 네가 학교에 다니면 너의 밑에 있는 동생들은 어떻게 하겠느냐며 내려오라는 애절한 편지였다. 1967~1968년의 논과 밭의 작물이 타들어 가는 극심한 가뭄의 어려운 시기에 빚으로 공부를 시켰는데 내가 직업을 갖기는커녕 다시 공부한다고 하며 더구나 신학을 한다고 하니 홀어머니는 살길이 막막하기만 했던 것이다. 그 무렵 나는 기숙사 생활하면서 어느 학우가 치약이 없어 소금물로 칫솔질을 하면서 '주여 주여' 부르짖는 모습을 보고 회의(懷疑)를 느꼈다.

이런 모습으로 과연 내가 신학 공부를 해야 하는가? 아버지가 계시지 않는 가정에 장남의 책임과 의무가 나를 억누르기에 결국 포기하고 내려와 버렸다. 그 이후 염전 관리업무를 소개받아 근무하면서 공무원 시험 준비를 하던 중 농협에 입사하여 근무하게 되었는데 퇴직 무렵에 뜻밖의 질병으로 힘들어하다가 하나님의 은혜로 치유 받고 하나님이 누구인지를 알고 싶었다. 1971년 신학교에 입학 후 가정형편에 의해 포기해야 했던 그 신학교를 기어코 다시 가서 못다 한 꿈을 이루어 보고자 하는 욕망이 발동했다. KC대학교(현 강서대학교) 신학대학원에 20명이 합격했는데 내가 63세로 나이가 제일 많았고 40~50대 4명 나머지는 20~30대였다. 수업은 월요일과 화요일 야간 수업인데 월요일 영암에서 올라가 강의를 듣고 이틀날 오후 10시 30분 수업이 끝나므로 야간 심야 우등고속버스에서 밤을 새우며 내려가는 고달픔 속에서도 참으로 열심히 공부했다.

실로 3년간의 신대원 생활은 나에게 큰 추억이 되었다. 입학한 지 얼마 되지 않아 구내식당에서 어느 젊은 대학원 동기께서 먼저 나가면서 내 옆에 물 한 컵을 살며시 놔두고 나가는 모습을 보고 진한 감동을 느꼈다. 나이 든 나를 위해주는 고운 마음씨는 역시 신학생답다고 하는 생각이 들었다. 그곳의 학생들은 만학의 나이에 회사의 눈치를 보며 수업 시간 내 참석하려고 애쓰는 모습들이었다. 시험 때면 서로 경쟁하려는 의식보다는 서로 정보를 교류하면서 학우들에게 도움을 주려는 모습 또한 아름다웠다. 특이한 것은 학우들이 장로교회, 순복음 교회, 등 다른 교파의 원우들로 구성되어 있는데도 자신들의 교회와 다른 점에 대해 부정적으로 생각하지 않고 긍정의 눈으로 바라본 것이다.

신학대학원은 필수과목 외에 헬라어, 히브리어와 영어시험에 합격해야 졸업할 수 있었다. 헬라어, 히브리어 기초는 '한국 인터넷신학대학'에서 공부했기에 어렵지 않게 통과할 수 있었는데 영어는 고등학교에서 은행 시험 준비로 소홀히 했기에 자신이 없었다. 두 번이나 시험에 낙방하고 이제는 하는 수 없이 커닝이라도 해야겠다고 생각했는데 동료 대학원 동기께서 우리는 신대원 학생답게 커닝만은 절대로 하지 말자고 제안한다. 9월에 있는 마지막 영어시험을 통과하지 못하면 그해에는 졸업하지 못하는 형편에 이르렀다. 신학 공부가 아닌 영어시험 준비를 위해 밤을 설치며 평생에 이처럼 열심히 노력한 적이 없을 정도로 온 힘을 다하여 시험 준비를 한 결과 커닝하지 않고 합격할 수 있었다. 나에게 끝까지 함께 가자며 응원해 준 대학원 동기들이 있었기에 내가 도중에 포기하지 않고 당당히 졸업하게 된 것이다.

졸업 예배를 드리면서 졸업생 대표로 내가 답사를 하게 되어 위의 내용과 같이 신대원 다니면서 기억에 남은 일들과 무엇보다 드디어 45년 만에 나의 뜻이 이루어져 졸업하게 되었노라 소감을 발표했는데 이 소식을 전해 들은 국민일보 기자가 졸업식 날 갑자기 나를 찾아와 인터뷰를 요청하면서 졸업생 대표로 학위 수여증을 받은 장면을 촬영한 후 그 이튿날 '45년 만의 졸업'이라는 제목으로 국민일보에 기사화했다. 끈기를 갖고 못다

한 꿈의 실현을 위해 살다 보니 이처럼 인정받을 수 있었다는 자부심에 눈물이 나왔다. 지방으로 출장을 가면서 열차에서 국민일보를 보시던 문병하 교수님께서 자신이 근무하는 학교에 관한 신문 기사를 읽고 깜짝 놀랐다면서 그리스도 대학교에서 KC대학교로 교명을 바꾼 지 얼마 되지 않아 홍보가 안 됐는데 나에 관한 기사를 통해 KC대학교가 자연스럽게 소개되므로 광고비용도 들지 않고 학교를 알리는 큰 효과를 보게 되었다며 나에게 전화를 걸어 축하해주셨다. 공주에 거주하는 남동생 처남이 가게에서 물건을 사 오면서 신문으로 포장해 가져왔는데 그 신문에 나와 동생이 함께 찍은 졸업사진을 보고 반가웠다며 동생에게 전화하였다고 한다.

강서대학교 신대원 학우들과

국민일보　2016년 2월 19일 금요일

기독뉴스

45년 만에 안은 눈물의 졸업장

KC대학 학위수여식 졸업생 대표 60대 최규용씨

18일 서울 강서구 까치산로 KC대학교 대강당. 학위수여식에 참석한 사람들로 발 디딜 틈이 없는 가운데 늦깎이 졸업생 최규용(64)씨가 감회어린 표정으로 강단에 올랐다. 최씨는 신학대학원 신학석사(M.Div)과정 졸업생의 대표로 학위증서를 받았다. 이 대학에서 45년 만에 받은 특별한 졸업장이었다. 청중에서 뜨거운 박수 소리가 터져 나왔다.

최씨는 1971년 9월 KC대학교의 전신인 '한국그리스도의교회신학교'에 입학했지만 한 달 만에 전남 영암으로 귀향할 수밖에 없었다. 그는 홀어머니를 도와 동생들을 책임져야 했던 가난한 가정 6형제의 장남이었다. 영화 '국제시장'의 주인공으로 한평생 자신을 위해 살아본 적이 없었던 덕수(황정민 분)와 비슷했다.

학위수여식 전에 만난 최씨에게 졸업 소감을 묻자 지나온 세월이 생각났는지 뜨거운 눈물부터 흘렸다. "지금까지 성령님의 인도하심에 따라 살았고 공부도 할 수 있었어요. 45년 전 이 대학에 입학하자마자 꿈을 포기하고 고향에 갔죠. 동생들을 가르치고 자식들도 다 키운 지금 그 꿈을 늦게나마 완성할 수 있어 기쁩니다."

71년 10월 최씨는 홀어머니로부터 눈물어린 편지를 받았다. 2남 4녀의

> 1971년 대학 입학 후
> 가난 때문에 학업 중단
> 가족 생계 도우려 귀향
>
> 동생들 뒷바라지하며 독학
> 2013년 신학석사 도전
> 영암-서울 통학하며 공부
>
> "외로운 노인들 섬기는
> 돌봄 사역 하고 싶어요"

장남으로서 동생들을 생각해달라는 것이었다. 아버지가 중풍으로 고생하다 작고해 그의 가정은 매우 가난했다. 눈물로 귀향한 그는 72년 영암 농협에 입사해 98년까지 26년 동안 일하며 가정을 책임졌다. 가정을 꾸린 뒤 아내 역시 가게를 운영하고 힘도 그 장사를 해가며 억척같이 생활비를 댔다. 덕분에 그의 가정은 경제적 어려움에서 벗어났고 아버지가 남긴 빚도 모두 갚았다. 누나들을 결혼시켰고 동생들도 가르쳤다. 힘든 형편이었지만 남동생의 일본 유학비용까지 지원했다. 그가 최문용 청운대 교수다.

가정만을 살아온 그가 살아계신 하나님을 다시 만난 건 98년 2월이

18일 서울 강서구 까치산로 KC대학교(전 그리스도신학대학)에서 진행된 학위수여식에서 45년 만에 이 대학을 졸업한 최규용(가운데)씨가 가족들과 함께 기뻐하고 있다.
강민석 선임기자

었다. 그는 허리 디스크 때문에 화장실에 가지 못할 정도로 극심한 고통을 겪고 있었다. 수술 날짜가 임박한 어느 날 방문한 교회에서 예배를 드리다 극적인 치유를 체험했다.

그는 "하나님을 만난 뒤 옛날에 그만둔 학교에 다시 오고 싶었다"며 "다른 사람들을 섬기는 사역을 하며 남은 인생을 보내고자 2013년 3월 신학 공부에 도전했다"고 말했다. 그는 90년대 초 직장에 다니면서 동아인재대 야간 과정과 사이버대 등에서 꾸준히 공부해왔다. 하지만 매주 영암

에서 서울까지 올라와 공부하는 과정은 쉽지 않았다. 영어가 무엇보다 어려웠다. 피나는 노력 끝에 공부에 재미를 붙였고 교수, 교수들과도 좋은 관계를 맺었다. 동기들은 그를 '선생님'이라고 불렀다.

그는 앞으로 어떤 사역을 하고 싶을까. "외로운 어르신들과 함께 공동체 생활을 하며 돌봄 사역을 하고싶어요. 고향에서 고사리 농장을 운영하고 있는데 어르신들과 함께 즐겁게 일하고 예수님을 믿으며 그렇게 살고 싶어요."　김아영 기자 celio08@kmib.co.kr

※ 무지개가 떠오르다.

2017년 1월 2일 아내가 안나 요양원에 응접세트가 필요하다
는 말을 듣고 계룡 복지관에서 내놓은 무거운 응접세트를 들어
차에 올린 후 집에 있다가 갑자기 몸이 이상증세가 발생 나에게
전화를 했으나 받지 못하자 조수행 장로님께 전화했는데 받고
바로 옆에 있던 나에게 바꾸어 주었다 즉시 집에 도착하니 아내
가 피를 토하고 쓰러져있어 119를 불러 가까운 건양대학병원 응
급실로 갔다. 만약에 조수행 장로님이 전화를 받지 못했다면 아
내는 어찌 되었을까 생각만 해도 아찔하다. CT 촬영 결과 과다
한 뇌출혈로 즉시 수술을 하였다. 이 소식을 듣고 달려온 둘째
아들 온유는 어머니의 심각한 상태를 보고 그만 현기증을 일으
켜 응급조치하였다. 중환자실로 옮긴 아내는 망치로 맞는 것 같
다며 고통을 호소한다. 중환자실에서 일반 병동으로 며칠 후면
옮길 줄 생각했으나 뇌에 물이 너무 많이 고여 의식을 잃어가므
로 물을 빼내야 한다며 머리를 삭발하고 다시 수술했다.

두 아들은 휴가를 내어 냄새나는 지하 중환자 보호자 대기실
에서 교대하여 숙식하며 어머니를 간호한다. 자식의 소중함을 느
낀다. 회복을 기대했으나 갈수록 혼미한 상태에서 통증을 호소한
다. 차라리 내가 아프고 싶다. 체력의 한계로 온종일 간호할 수
없어 간병인을 두었는데 집에 와 잠을 자고 있는데 새벽 1시에
전화벨이 울렸다. 깜짝 놀라 받아보니 병원이었다. 아내가 넘어
져 CT 촬영 중이라고 한다.
뇌출혈이 회복되기도 전에 다시 머리를 다쳤으니 이제는 완전
히 절망적이라고 생각했다. 자동차를 몰고 병원으로 가는데 앞이
보이지 않았다. 주님의 일을 하겠다고 나섰는데 이런 고난을 주
신 하나님께 '하나님 이럴 수가 있습니까?' 원망하며 실컷 울부

짖었다. 병원에 도착하니 아내가 입술을 떨면서 '어쩌면 좋아'라고 말한다. 살아 정상적으로 말하는 모습을 보고 너무나 좋아 한참을 아내 두 손을 잡고 눈물로 감사의 기도를 드렸다. CT 검사 결과 머리가 크게 부어올랐으나 다행히 터지지 않았으며 별 이상이 없었다. 아내를 간호했던 간병인이 아내를 화장실에 데리고 갔는데 한 눈판 사이에 쓰러져 머리를 부딪친 것이다. 고의가 아닌 실수이기에 간병인이 자신의 잘못이라며 CT 촬영 비용을 전해주며 책임지려 하였으나 오히려 수고비와 함께 CT 비용을 돌려 드리고 위로해 주었다.

그 이후, 단 하루도 남의 집에서 잠자기를 싫어했던 나는 아내 병실의 보조 침대에서 숙식하며 아내가 넘어질까 봐 아내 곁을 떠나지 않으며 항상 긴장 상태로 있다 보니 내가 현기증이 오고 귀가 먹먹하여지며 허리가 아프고 위장병이 생겼다. 그러나 병원에 갈 엄두도 내지 못한다. 둘이 다 아파 버리면 자녀들에게 큰 부담이 될까 봐 겁이 났다. 아무리 호텔 같은 방을 꾸미며 궁궐처럼 호화롭게 살아가더라도 부부 중 한 사람이라도 병들면 이처럼 비좁은 병실의 딱딱하고 좁은 보조 침상에서 환자들의 앓는 소리를 들으며 새우잠을 잘 수밖에 없게 된다.

아들들이 어머니를 직접 간호하겠다며 서울로 옮기기를 원하므로 큰아들 집에서 가까운 일산 00병원으로 옮겼다. 재활전문병원으로 옮겼으니 호전되어야 할 아내의 건강 상태는 건양대병원에 있을 경우보다 오히려 좋아지지 않는다. 대소변을 홀로 할 수 없기에 기저귀를 차며 손자 손녀 이름도 기억하지 못하며 엉뚱한 말을 한다. 영특한 아내가 바보처럼 되어버림에 정말 답답하기 그지없다. 병원 생활 3개월이 지난 어느 날 병원장이 아내가 이제는 회복이 어렵다면서 손을 떠는 아내를 보며 파킨슨병이라고 한다. 오래 걸리더라도 회복될 것으로 기대하고 있는 나에게 청천벽력 같은 말이다. 아내가 나와 시온이의 표정을 보고 뭔가 눈치를 채는 것 같았다. 잠을 이룰 수 없었다. 아내의 손을 꼭 잡아 주었다. 나를 위해 얼마나 고생했는데 파킨슨병까지 겹친 불치의 병이라고 하니 이게 무슨 날벼락인가! 아버지, 어머니에 이어 아내마저 쓰러져 이 지경이니 우리 가정이 무슨 죄가 많기에 이처럼 고난의 연속인가. 아내는 나에게 미안하다며 '이 고생을 하느니 뇌출혈로 차라리 천국에 갔다면 더 좋았을 텐데.'라고 자신이 살아 가족을 힘들게 하는 것을 고통스러워한다. 그러나 비록 아무리 힘들고 고달프더라도 살아있는 아내 곁에 있을 수 있음이 행복임을 느끼고 있었다.

4월 1일 주일 예배를 위해 계룡으로 내려갔다. 아내를 생각하니 앞이 보이지 않는다. 홀로 열차의 창가에서 한참을 울먹이는데 갑자기 먹구름이 일어나고 천둥 번개가 일어나더니 조금 후에 그치고 일곱 빛 무지개가 창밖에 솟아오른다. 하나님께서 노아에게 다시는 세상을 물로 심판하지 않으시겠다고 약속하시고 무지개를 증거로 보여주시듯이 우리 부부의 고난 후에 찬란한 무지개가 떠오르기를 기대한다. 고통을 멈추고 아내의 병을 치료해 주시겠다는 하나님의 음성으로 받아들이고 싶다.

교회에 도착하여 한참 하나님께 울며 기도한 후 아내 없는 집으로 향했다. 아내의 옷을 바라보며 다시는 저 옷을 입어보지 못할 것으로 생각하며 하나님께 하소연하였다. 하나님 아내를 버리지 말아 주소서, 일으켜 세워주소서 왜 죄는 내가 지었는데 고통은 아내가 겪어야 합니까? 주일 예배에 말씀을 전하는데 목소리가 나오지 않는다. 어쩌면 마지막 나눔의 시간이 될지 모르겠다는 생각도 들었다.

그 이튿날은 (2017.4.3) 바로 아내의 생일이었다. 기뻐해야 할 아내의 생일날 아내를 물리치료실로 보내고 홀로 병실에서 이불을 뒤집어쓰고 하나님께 애원했다. 죄가 아니라면 차라리 둘이 그냥 이 세상을 떠나버리고 싶은 마음이 들었다. 바로 그 무렵에 박재경 한의사가 평소에 아내에게 관심을 두고 치료해 주셨는데 예고 없이 병실을 방문해 주셨다. 이제까지 아내에게 파킨슨병이라는 말을 감추고 있었는데 한의사가 감추지 말고 말해도 된다고 하면서 파킨슨병은 하루아침에 오는 병이 아니다. 자기의 소견으로는 뇌출혈로 오는 현상으로 보니 너무 조급하게 생각하지 마시고 좀 더 지켜보면서 치료에 임하시는 것이 좋겠다고 한다. 한의사의 말에 구세주를 만난 것처럼 안도감이 들었다. 의사의 따뜻한 말 한마디는 실로 보약이었다. 아내의 생일인 줄 알고 축하해주는 것 같았다. 그 한의사는 좌절에 빠져있던 우리 부부에게 한 가닥 희망을 심어주는 하나님께서 보내주신 천사였다.

뇌출혈보다 파킨슨병 치료가 우선이라 생각하며 S 병원에 인터넷으로 파킨슨병 전문 의사에게 진료 예약 신청을 하였는데 다행히 어느 분께서 예약을 취소하므로 빠르게 잡혀 진료를 받게 되었다. 전문의사는 아내의 손과 발을 흔들어 보면서 파킨슨병 이 아닌 것으로 판단했다. 하나님 재발 파킨슨병만은 아니라고 말하게 해주세요. 라고 기도했는데 의사의 말 한마디가 그렇게 고마울 수가 없었다. 신경외과로 옮겨 진찰을 받게 되었는데 담당 교수가 척추에서 수액을 빼고 결과를 지켜보자고 한다. 척추에서 물을 빼는 것이 얼마나 고통스러운지 아내가 소리를 지른다. 얼마나 통증이 심한지 아내가 울면서 자신의 병이 치료되면 아픈 환자를 위해 자원봉사 활동해야겠다고 말한다. 아내가 내 얼굴을 보며 자신 때문에 너무 말랐다고 말한다. 병실이 어두워 간호사에게 아내가 우울증세가 있으니 창가로 옮겨 달라고 했는데 원래 지침에는 못 옮기게 되어 있으나 특별히 배려한다면서 창가로 바꾸어 주었다. 창밖에 날아가는 새를 보니 아내가 회복되어 훨훨 날아갈 것만 같았다.

뇌출혈 담당 교수는 아내가 수두증이 확실하다면서 션트수술을 하도록 권하므로 또다시 수술하려고 했는데 당초에 진료했던 신경과 교수는 좀 더 지켜보아야 한다고 하므로 신경과와 신경외과 교수의 아내 질병에 대한 의견 차이로 수술이 취소되어 버렸다 교수 중 한 사람이라도 의견이 상이하면 수술을 하지 않는다고 한다. 하는 수없이 다른 병원으로 옮기기 위해 퇴원 절차를 밟고 약을 받았는데 약 내용을 검토해 보니 종전에 일산 00병원에서 파킨슨병이라고 진단하여 처방했던 약이 포함되어 있었다. 또한 변비약이 '정'으로 된 것과 물약으로 된 두 종류의 약이 처방되어 있었다. 이름있는 병원에서 이런 모습이니 정말 환자 가족들의 세심한 주의가 필요함을 느꼈다.

퇴원 즉시 대전 둔산 한방 병원의 수두증 치료로 유명한 설인찬 교수를 찾아갔는데 교수님은 CT를 보면서 수두증으로 갈수록 뇌세포가 죽어가므로 수술을 해야 한다고 하면서 수술을 권한다. 어떻게 하든지 다시 수술하지 않고 치료되기를 원했던 나는 수술이 제일 나은 방법이라고 생각하고 당초에 수술했던 건양대병원으로 옮겨 수술 날짜를 받았다. 주치의는 수술해도 눈에 띄게 좋아지는 것은 아니고 발걸음이 부드러울 정도라고 말하기에 수술 날짜가 잡혔어도 망설여졌다. 그러나 기도하는 가운데 모든 것을 하나님께 맡기고 수술하기로 했다.

아내는 자신이 수술한 이후에는 우리 가정 누구도 수술하지 않도록 자신이 다 짊어지고 가고 싶다고 말한다. 어머니의 마음이다. 4월 20일 10시 30분 3번째 수술을 앞둔 아내의 눈에 눈물이 고여 있었다. 하나님 다시는 수술하지 않도록 이번 수술로 완치되게 하옵소서. 기억력이 살아나고 중심을 잡고 걸어갈 수 있도록 회복시켜 주옵소서.

수술 후 목이 아프다고 하며 머리에서 피가 계속 흘러나와 또다시 염려되었으나 다행히 회복되었다. 4월 25일 다시 재활의학과에서 기능치료를 시작했다. 작업치료를 하는 데 문제를 내면 어려운 부분까지 조금도 틀리지 않고 다 맞추었다. 저녁 무렵 내가 잠시 화장실에 다녀왔는데 아내가 침대에서 홀로 일어나 서 있는 것을 보고 깜짝 놀랐다. 기적이 일어났다. 화장실에서 혼자 세수할 수 있었고 이제는 부축하지 않아도 될 지경까지 급격히 좋아졌다. 4월 29일 아내에게 재활 치료받을 필요 없이 퇴원해도 좋다고 한다. 4개월 동안의 병원 생활을 청산하고 퇴원하게 된 것이다. 두 손으로 밥을 먹을 수 있고 홀로 걸을 수 있다는 사실이 얼마나 감사한지 깨달았다. 아내의 아픔을 통해 가족 사랑을 더욱 느끼게 되며 남은 생애 오직 하나님만을 의지하며 하나님의 뜻대로 살아가기로 다짐하였다.

아내가 회복된 후 아내를 극진히 보살펴주신 그 한의사(현재 서울 세종대로 올라 한의원 원장)가 너무나 고마워 일산00병원으로 찾아가니 아내의 회복된 모습을 보고 매우 기뻐하셨다. 오랫동안 고생했던 아내가 입원했던 병실을 가보고 싶어 들렀는데 아내가 입원했던 병실에서 다른 환자를 돌보던 중국인 간병인들이 불치의 병으로 회복되지 못하리라 생각했던 아내가 자기들 앞에 휠체어 없이 스스로 걸어오는 것을 보고 깜짝 놀라며 믿음이 없는 그분들이 아내에게 말했다. "언니 병실에서 이불을 둘러 쓰고 홀로 울부짖는 남편의 기도에 하나님께서 응답하셨어요. 앞으로 남편께 잘해드려요" 아내의 치유함을 통해 하나님의 살아 역사하심을 그들에게도 보여주셨다. 무소불능하신 하나님, 우리의 필요함을 공급해 주시는 하나님께서 간구하는 우리의 기도에 응답해 주셨다. 아픔을 통해 주님께 더욱 매달리며 가까이 가게 하셨다.

끝으로 대전. 충청 그리스도의 교회 목사님들과 김금복, 김창인, 김옥진, 권영신, 신성호, 이종민, 이상범, 이소철, 이한중, 유상훈, 정성일, 전상우, 조영호, 주성수, 최승기, 최재봉, 최재천 목사님, 곽영화, 김선학, 김정자, 박병섭, 이미화, 이희진, 이장미, 이지연 님과 이십오계, 우암회, 영목회, 전남 1366 동료, 강서대 신대원 동기들, 번영로, 미암 교회 성도를 비롯한 일가친척 여러분께서 병원에까지 오셔서 위로해 주시고 기도해 주셔 아내의 건강이 회복됨에 충심으로 감사드린다.

치유의 기쁨을 가족과 함께

※ 선한 싸움의 길

퇴직 이후 고사리밭을 가꾸고 무화과, 감, 비파, 밤나무를 심으며 전형적인 농부의 모습으로 살아가던 중 나의 맨토 역할을 하시던 어느 전도자님께서 충남 계룡시 엄사면에서 몇 분들이 교회 개척을 위한 모임을 하고 있는데 참석할 수 있겠느냐 하므로 기꺼이 순종하고 2016년 3월 한 번도 온 적이 없는 계룡에 첫발을 디뎠다. 내가 섬기는 교회처럼 시골 노인들이 대부분일 거라 생각했는데 도시 중심가였으며 고등학교 교사, 전 교도소 소장 등 높은 수준의 구성원들이었다. 전에 섬기던 교회가 불가피한 형편으로 문을 닫게 되어 몇 성도들이 기도 모임을 하고 있었는데 아무래도 신학을 했던 분과 함께하고 싶다면서 나를 추천하여 이곳에 오게 된 것이다. 영암에서 이곳까지 자가용으로 3시간 거리로 매 주일 와서 함께 말씀을 나누는 가운데 하나님 뜻으로 여기며 7월에 고향 주택과 농사 모든 것을 그대로 놔두고 아내와 섬김의 길에 들어서게 되었다

신학대학원 졸업 무렵에 어느 교수님의 정년 퇴임사에서 하신 말씀이 내 귓전을 울렸다. "이 산지를 내게 주옵소서. 여호와께서 나와 함께 하시면 내가 여호와께서 말씀하신 대로 그들을 쫓아내리 이다."이 말씀은 나에게 힘과 용기를 주었으며 도전과 희망으로 나서게 했다. 전라남도 1366 상담팀장으로 근무하던 아내 역시 목회의 길을 가려는 나에게 남편 사역을 도울 수 있는 준비가 되어 있지 않다며 그해 6월 퇴임 후 목포권에 준비된 좋은 일터를 선호하고 있었다. 그러는 가운데 하나님은 아내에게도 "사람을 두려워하면 올무에 걸리게 되거니와 여호와를 의지하는 자는 안전하리라 라는 귀한 말씀을 주셨다. 말씀을 통해 내 힘으로 열심히 해야 하는 것이 아닌 나를 내려놓고 주님만을 바라보

며 주님께 맡길 때 주님께서 인도해 주심을 깨닫고 나니 마음에 평안을 느꼈다면서 세상 모든 욕심을 내려놓고 비록 여러 부분에서 부족하지만, 기꺼이 동참하겠노라. 나섰다. 그리하여 우리 부부는 이곳 계룡에 오게 되었다.

향적산을 오르다가 야간 산악회(야등) 안내가 있어 가입하였다. 일주일에 1~2회 야간에 향적산을 오르내리면서 회원들과 세상 돌아가는 이야기를 많이 나누었다. 특히 야등 김부수 회장은 부친께서 대사로 오랫동안 외국에 계셔 아버지 따라 외국 생활을 많이 하신 분으로 컴퓨터가 우리나라에 보급되기 전부터 컴퓨터를 배워 계룡시 전역에 고장 난 컴퓨터를 무상으로 수리해 주는 등 사회봉사 활동을 많이 하신 분이다. 다방면으로 능력이 뛰어난 분으로 내가 나이가 더 많기에 나를 형으로 부르며 함께 산행을 즐겼다. 산행 중 특히 종교 이야기가 나오면 열을 내어 목사들의 잘못된 모습을 집중적으로 비판한다. 성도들의 주머니를 털어 자기 배 속을 채우고 자식들 사업 자금으로 쓰며, 유학도 보내고 그것도 모자라 자식에게 목회의 자리를 대물림하는 사이비 집단으로 질타한다. 차라리 자신이 교주가 되어 나를 믿게 하여도 이들보다는 낫게 종교 생활을 할 수 있다고 한다.

묵묵히 경청하며 때론 동조하면서 거의 일 년 이상 나의 신분을 밝히지 않았고 어느 날에는 우리 집에 초청하여 양주를 대접하며 술을 권하기에 마시는 척 입 모금을 하였다. 그러나 감추어진 나의 신분은 결국 드러나게 되었다. 그 이후 이 친구는 내가 섬기는 교회에 컴퓨터를 기증하며 수시로 도움을 주었다. 나를 통해 목회자의 이미지가 바뀔 수 있도록 부끄러움 없는 참된 그리스도인이 되고자 다짐한다.

이 영상의 사진은 계룡노인복지관에서 실시한 황혼의 로맨스 프로그램에 참여한 우리 부부가 제주도 여행 코스에 따라 비바람 이 몰아치는 날씨에도 '용눈이 오름길'에 갔었는데 이성범 복지사 가 '순례자의 길'이라는 제목과 함께 우리 부부의 모습을 멀리서 찍어 보내준 사진이다. 순례자처 럼 비바람을 맞으며 정상을 향해 올라가는 모습이다. 그리스도의 남은 고난을 자기 육체에 채우며 하나님의 말씀을 묵묵히 이루어 가는 자신을 태워 어두움을 밝히

제주도 '용눈이 오름' 길에서

는 촛불처럼 빛과 소금의 직분을 잘 감당하는 일꾼이 되고자 한 다. 비록 어려운 여건의 교회일지라도 부르심을 받은 성도들과 하나님의 사랑 안에서 피와 땀과 눈물로 십자가와 부활의 복음을 전하며 종교인의 교회 생활이 아닌 신앙인의 꽃을 피워가는 진 정한 그리스도인의 모습을 보여주고 싶다.

번영로 그리스도의 교회 설립 예배

6. 선배 시민 설계도

※ 내려놓으리라

계룡노인복지관 2층 컴퓨터 강의실에 연세가 70세가 넘으신 분들이 파워포인트와 포토샵을 배우고 있다. 그곳의 어르신 수강생들은 강사가 가르쳐 주면 그때는 이해를 하나 뒤돌아서면 잊어버려도 즐거워하며 배운다. 특히 포토샵 강의하시는 분이 80이 넘으신 어르신이다. 배우시는 목적이 치매를 예방하기 위해 배우시는 분들도 있고 손자 손녀들의 어여쁜 모습을 편집하여 보내주고 싶은 마음도 있을 것이다. 아무튼, 배운다는 것 자체가 대단하다. 태어나서 죽을 때까지 끊임없이 학습하고 이런 모습을 통해 존경받는 어르신이 되는 거다.

노인복지관에서 해마다 어르신들의 작품을 전시하며 기념행사를 하는데 복지관 직원이 압화를 만들어주는 현장에서 '실버가 자랑스러운 날'이라고 표시하며 행사를 주관하신 분들께 감사드렸다.

백발은 영화의 면류관이라 했다. 늙은이가 존경받게 되는 모습을 말하고 있다. 존경받는다고 함은 하루아침에 되는 것이 아닌 하루하루의 모습 속에서 보이는 삶이 그 결과로 나타난다고 본다. 이스라엘 백성들이 오랜 세월 동안 민족을 위해 헌신한 사무엘이 늙었으니 후임 왕을 세워 달라고 요청하는 것은 이제 늙었으니 더 이상 필요 없다는 것이다. 이것이 노년에 찾아오는 섭섭함이라 할 수 있다. 21살에 농협에 입사하여 37년간 농민 조합원들의 소득향상과 삶의 질 향상을 위해 밤낮없이 몸을 아끼지 않았다. 초대 농협 인의 땀과 눈물이 오늘의 농협을 이루게 했다. 그 결과 지금의 일부 농협 임직원들은 억대가 넘는 연봉을 받으며 안정적인 생활을 유지하고 있다. 그러나 지난날 우리의 수고는 기억되지 않는다. 이것이 바로 냉혹한 현실이다. 섭섭한 마음 금할 길 없으나 받아들일 수밖에 없는 현실이기에 노년을 위한 최고의 준비는 '내려놓는 훈련'을 하는 것이 노후의 자세임을 깨닫는다.

계룡 노인복지관 가향합창단

※ 외로운 노인들의 말벗이 되리라.

집 앞에서 자동차를 세척하고 있는데 어느 할머니가 지나가다가 말을 건넨다. 내가 좀 다정하게 말을 하면서 우리 집으로 모셔 아내가 과일과 차를 준비해 드렸는데 드시지 않고 계속 말씀을 하시기에 드시고 하라 했더니 하시는 말씀이 과일을 먹게 되면 말을 할 수 없다는 것이다. 얼마나 하소연하고 싶으면 이렇게 말씀하실까! 노인들은 외로워하며 말동무가 필요함을 절실히 느꼈다. 우리가 옆에 있어 따뜻한 말 한마디 하는 것, 또한 노인들의 말을 경청해 주는 것만으로도 보살펴드리는 것임을 느꼈다. 새로 이사 온 이곳 아파트는 노인들이 주로 거주하는 아파트이기에 이곳을 통해 외로운 노인들의 말벗이 되고자 다짐한다.

며칠 전 복지관 탁구 운동을 하면서 내가 존경하는 전직 교장 선생님과 행복에 관한 대화 중에 어떤 부분에서 행복을 느끼느냐 묻는다. 신앙인으로서의 나의 답을 듣고 싶어 하신 것 같다. '저의 아내가 뇌출혈로 만약 회복되지 않고 지금도 병원에 있다면 저는 아내의 병간호를 위해 이처럼 한가롭게 탁구 칠 수 없을 것입니다. 그때를 생각하며 이처럼 아내와 함께 운동할 수 있음에 너무 행복합니다. '라고 말했다. 나중에 듣고 보니 4년 전 아내와 사별하고 홀로 계신다고 한다. 내가 너무 경솔하게 상대의 입장을 살펴보지 못하고 내 위주의 말만 한 것 같아 죄송한 마음이었다. 좀 더 상대의 형편을 살피면서 정다운 말벗이 되어 외롭고 쓸쓸한 이웃들의 친구가 되리라.

※ 내 이웃을 위해 기도하는 자 되리라

퇴직 후 농산물을 가공하여 부가가치를 높이는 사회적 기업을 창업하고자 교육받던 중 알게 된 목포의 김상호 님과 카톡으로 서로 대화를 나누는데 서천에서 야외 예배드릴 무렵에 문자가 와서 성도들과 서천에 와있다고 하면서 우리 성도들과 함께 찍은 사진을 보내주었는데 그분이 '저번에 보내 주셨던 사진 속의 남성 성도분의 모습이 안 보이시는군요.'라고 격려하였다. 나는 깜짝 놀랐다. 어떻게 전에 보냈던 사진과 비교하며 성도분의 모습이 보이지 않는다고 할 수가 있겠는가! 내가 관찰력이 대단하다고 했더니 '고향을 떠나 먼 곳에까지 가셔서 신앙생활 하시는데 어찌 관심을 두지 않을 수 있겠습니까? 라고 말한다. 내가 교회를 잘 섬길 수 있도록 기도하며 세심한 부분까지 관심을 두고 지켜보고 있는 모습은 실로 나에게 큰 힘이 되어주는 진정한 친구이다.

강원도 설악산 추양하우스 세미나에서 내가 미암교회 성도일 때 오셔서 설교했던 전도자님을 만나 뵐 수 있었는데 그분께서 나를 모를 것으로 생각하고 인사를 했는데 반갑게 맞이하면서 자신이 이웃을 위해 기도하는 가정 중의 한 가정이라고 말한다. 나는 깜짝 놀랐다. 나를 전혀 알아볼 것으로 생각하지 않았고 그분을 위해 기도해본 적이 없는데 그분은 나를 위해 기도한다는 것이다.

내가 지금 하나님의 자녀로 이 자리에 있는 것은 나를 위해 간구하신 어머니 기도의 응답이며 사랑하는 아내의 남편을 위한 기도이다. 또한 주정철 전도자님을 비롯한 여러분들이 있었기 때문이다. 나는 내 이웃을 위해 얼마나 기도하고 있는지 자신을 돌이켜 본다. 나 자신과 내 가정을 위해서 그리고 내가 좋아하는 사람을 위주로 기도하였지, 나를 힘들게 하는 자를 위해 기도하는 경우가 거의 없었다. 나를 위해 기도해 주시는 분이 계시기에 내가 행복하듯이 나도 이웃을 위해 기도하므로 그들이 더욱 행복하기를 바라며 그 이후로 내 주변에 질병 등 고난과 역경에 힘들어하는 자들을 위해 새벽기도회에 나가 기도한다. 누군가 널 위하여 간절히 기도하네! 네가 홀로 외로워서 마음이 무너질 때 누군가 널 위해 기도하네. 복음성가이다. 그분이 나를 위해 기도하고 있음을 내가 몰랐던 것처럼 나의 기도 대상자들이 나의 기도를 모르고 있겠으나 내 기도에 힘입어 그들이 주님을 영접하고 영육 간에 강건하여졌다는 소식이 들리기를 간절히 바란다.

손녀들의 기도

※ 죽음은 마침표가 아니다.

2019년 6월 말기 암으로 투병 중인 어느 자매님 병문안을 하였다. 그 자매님은 자신의 질병에 대해 모든 것을 다 알고 계시기에 어떻게 말씀을 드려야 할까? 정말 난감했다. '힘내세요.'라고 말하기에는 그가 힘을 낼 수 있는 여력이 없었다. 그분은 세례까지 받으신 분으로 신앙생활을 하다가 상처를 받고 섬기지 않는 상황 속에서 우리가 와 주기를 바라고 있기에 방문한 것이다. 말씀을 전하면서 "죽음은 끝이 아니라 새로운 세상이 펼쳐진다. 덧없는 이 세상으로부터 다른 세상으로의 통과이다. 그러기에 죽음을 두려워하는 것이 아닌 오히려 여유롭게 받아드려야 한다."라고 말했다. 아내가 환자에게 '죽음'에 대해 너무 말을 많이 하니 자신이 민망했다고 한다. 그 자매님은 "죽음 자체가 두렵지는 않습니다. 다만 나의 아픔으로 내가 고통스러운 것보다 가족들이 힘들어하므로 그게 힘듭니다."라고 말한다.

아내 친구가 샘물 호스피스 병원에 입원해 있을 때 아내가 그 친구에게 천연염색으로 된 스카프를 선물하니 그 친구는 죽음을 예측하는지 처음에는 받지 않으려 했으나 치유되어 이 스카프를 쓰고 우리 집에 와서 한 달간이라도 쉬었다가 가라고 하니 그 스카프를 받아드렸다. 그리스도 마음의 꽃으로 마지막 한가락의 희망이 피어나게 하고 싶었다. 죽음은 마침표가 아니라는 사실을! 어느 글 중에 역설적인 말이 있어 공감했다. '가장 잘 사는 길은 가장 잘 죽는 길이다.' 예수를 믿는 것은 어쩌면 잘 죽는 방법을 배우는 것인지도 모른다.

2019년 추석에 세종의 은하수 추모공원에 갔었는데 그곳에 쓰인 추모의 글을 읽으며 나도 모르게 눈물이 났다. 사랑하는 자녀

를 먼저 보낸 부모님, 아내를 잃은 슬픈 사연의 글 정말 가슴 아
픈 사연들이었다. 영정사진 밑에 써진 표시에는 '성도 000'라고
써진 글과 아무런 표시가 없는 것으로 구분되어있음이 눈에 띄
었다. 내가 해야 할 사명은 내가 알고 있는 모든 분에게 예수 그
리스도를 믿었노라는 흔적을 남기도록 영혼 구원에 힘쓰는 일임
을 깨달았다. 잠깐 있다가 사라질 이 세상을 위해 살아가는 것이
아닌 영원한 하나님 나라를 바라보며 살아가도록 복음을 전하는
일이다.

7. 아름 바위

　나의 고향은 월출산 국립공원이 있는 영암이다. 작은 누님을
비롯한 우리 가족이 태어난 곳은 미암면 춘동리 43번지이다, 큰
누님은 일본에서 태어나 '미여코'라는 이름을 지녔다. 일본에 거
주하므로 어쩔 수 없이 한국 이름 '귀순'을 놔두고 일본식 이름
으로 바꾼 것이다.

　내가 태어난 동네 미중 마을을 점등이라고 불렀다. 우리 어릴
적에 옹기 굽는 굴이 있었는데 이곳에 들어가 놀던 기억이 난다.
내가 사는 집터는 옛날 지서(파출소) 터로 외부에서 침입하지 못
하도록 사방으로 커다란 웅덩이가 파여 있었다. 어릴 적 이곳은
우리의 놀이터였다. 이효기 형님이 경찰서장이며 정준문, 김현채
형님은 지서장으로 우리는 경찰서장이 온다며 온갖 장식을 다
하여 지서를 꾸며 깍듯이 모시는 놀이이다

　그밖에 연날리기, 널뛰기, 제기차기, 팽이치기, 오징어 게임, 구
슬치기, 숨바꼭질, 땅따먹기, 딱지치기, 무궁화꽃이 피었습니다.
보름날 횃불 놀이 등 우리 어릴 적 놀이가 아른거린다. 그때의
철없이 뛰놀던 모습이 동영상이나 사진으로 남겨져 있다면 얼마
나 좋을까!

　춘동리 용흥 뒷산에 말이 하늘을 날았다는 천마산이 있다. 마
한 시대인지 정확한 시대는 모르나 말을 탄 장수가 적군에 쫓겨
서 천마산에 이르렀는데 앞에는 시퍼런 바닷물이 넘실대는 막다
른 지경에 이르자 장수는 지푸라기라도 잡는 심정으로 말에게
'나를 살리려면 제발 저 건너편 산으로 뛰어넘어다오' 했는데 말
이 장수의 말에 폴딱 뛰어서 하늘을 날아 바다를 건넜다고 한다.
그런데 말은 장수를 살리고 죽으므로 장수는 전쟁에서 승리 후
죽은 말을 장사지냈는데 그 말의 무덤이 있는 곳이 남산리 마봉

마을이다

이 마을 뒷산에 장군 바위가 있고 바위 위에 큰 발자국(발태죽)이 있는데 그 장군이 밟은 것이라 한다. 말 무덤 상부에 글자가 마멸되어서 알아볼 수가 없는 돌비석이 하나 있는데 옛날부터 그 비석에 써진 글자를 다 읽으면 무덤을 파도 된다는 말이 전해지고 있다. 일본 강점기에 미암초등학교 교사 한 분이 글자가 희미하여 한 자를 못 읽고 말 무덤을 파기 시작했는데 느닷없이 마른하늘에서 천둥 번개가 치기 시작하므로 무서워 더는 파지 못했다고 한다.

미암면에서 학산면 독천리 중간에 오미제가 있다. 지금은 아스팔트 길이나 내가 어릴 적에 숲이 울창하게 우거져 대낮에도 처녀 귀신이 소복 차림으로 나온다 하여 홀로 산을 넘어가지 않았다. 이곳에서 소 팔고 오다가 돈을 털린 사람도 많았고 늦게 오다 귀신에게 홀려 헤맨 사람들의 이야기를 종종 듣기도 했다. 내가 어릴 적 홀로 이 길을 넘어가는데 어찌나 무서운지 앞만 보고 달려가는데 갑자기 커브 길에 뭐가 나타난 것 같아 머리털이 솔깃 세워지고 기절할 뻔했는데 길가에 쌓여 있는 돌무덤이었다. 지금은 없어졌지만 아마 처녀 무덤이었는지 모르겠다. 이곳에 약수터가 있는데 길암천이라 부른다. 미암인들과 해남 사람들이 독천장에 오가는 길에 타는 목을 축일 수 있는 고마운 약수터이다

이곳의 유래는 강진군의 유길종이라는 분이 미암 지서장으로 근무하면서 이 약수터를 깨끗하게 청소하였는데 꿈에 이 약수터가 보일 때마다 영전을 거듭하여 치안정감까지 승승장구하므로 남다른 애정을 가지고 이 약수터를 가꾸었다고 한다. 이분의 이름 '길' 자와 미암의 '암'을 합성하여 길암천이라 했다,

지금은 대규모 간척지가 되어버린 영암호 주변의 미암면은

1985년 전만 해도 바닷가였다. 우리 집에서 1.5km 정도의 거리에 있기에 자주 바닷가를 거닐며 해수욕을 할 수 있었다. 이곳 갯벌에서 잡힌 숭어, 짱뚱어, 전어, 석화, 주꾸미, 꽃대하(큰새우)는 물론이거니와 세발낙지는 전국에서 가장 맛이 좋기로 소문나 지금도 학산면 독천리는 갈락탕으로 유명하다. 또한 어란을 맛보기 위해 이곳 미암면의 형제식당을 찾아오는 사람들이 많았다. 어란은 보리가 익을 무렵 알밴 숭어를 잡아 알만 꺼내어 참기름을 여섯 일곱 번 바르며 공력 드려 그늘에 말리면 황금색이 나오는데 그 고소한 맛은 둘이 먹다가 한사람 죽어도 모를 정도로 맛이 있어 금덩어리보다 더 비싼 값으로 팔린 정도이기에 황금어란이라 했다.

이곳 바다에 배를 타고 나가 친구들과 꽃새우를 잡아먹다가 배가 전복되는 바람에 죽을뻔했다. 문수포 동네 사람들이 바닷가에 나와 우리가 살아옴을 환영하던 모습이 지금도 눈에 생생하다. 영암호를 막지 않았다면 천혜의 수산물 자원으로 전국에서 유명한 관광지가 되었을 것이다. 바다를 막아 농사지을 간척지는 늘어났지만 자연이 준 보물 낙지를 비롯한 해산물을 잃었다. 사라진 갯벌을 바라보며 금호 방조제를 터버리고 다시 바닷길이 열리기를 기다리고 있는지 모르겠다. 한 치 앞을 내다보지 못하고 바다를 막은 것을 지금은 후회하리라.

미암면 선황리에 182m의 선황산(仙皇山)이 있다. 전남도청을 옮길 때 풍수지리학적으로 목포의 유달산, 무안의 승달산 그리고 선황산을 기준으로 유불선을 이루는 삼각지 중간지점이 남악이기에 이곳을 도청으로 결정했다고 한다. 이곳 산 정상아래 호랑이가 살았다는 굴이 있다. 정상 능선에 무너진 성축이 200m 정도 남아 있는데 마한 시대의 산성으로 보고 있으며 1943년 조선

총독부에서 발행한 '조선 고적 조사 보고서'에 의하면 이곳을 성산(城山)이라 칭했다.

선황산의 맥이 뻗어 내려온 당리 마을 앞에 넓적한 고인돌이 여러 곳에 있었다. 어쩜 고창 고인돌보다 더 규모가 크고 웅장한 것으로 보아 옛날 이곳에 큰 고을이 있었던 것 같다. 문화제 보호법이 시행되기 전에 어느날 갑자기 그 고인돌들이 사라져 버렸는데 내 친구가 그 고인돌이 우리 집 정원에 놓인 돌일 것이라 했던 말이 기억난다. 사실인지 모르겠다.

어릴 적 즐기던 놀이

데이트 시절 아름 바위 위에서

8. 영생의 길

※ 하나님께서 나를 자녀 삼아 주시다.

내가 태어나 자란 동네는 면 소재지로 사진관을 하시는 분께서 교회를 세우셨는데 어머니의 영향으로 주일학교를 다니게 되었다. 어릴 적 극심한 아픔을 겪은 나는 죽음에 대해 공포를 느끼고 하나님을 의지하게 되었다.

편하게 살아가면서는 신의 존재를 느끼지 못한다. 그러나 죽음에 이를 수 있는 고통을 느끼게 될 때 비로소 신을 의존하게 된다. 아내의 눈치를 살피며 교회에 이름만 등록해 놓았던 나는 질병으로 힘들어하다가 교회에서 일어난 강력한 성령의 역사하심으로 치유함을 받고 정말 하나님은 계시는가에 대해 더욱 알고 싶었다.

세상에는 다양한 종교가 있다. 나는 왜 불교를 비롯한 다른 종교를 놔두고 기독교를 선택하게 되었을까? 어느 날 새벽 고요히 들려오는 목탁 소리가 나의 심신을 평안하게 하였다. 한때는 불교에 관해 관심을 가져볼까 생각도 하였다. 그러나 아픔을 통해 내가 하나님을 선택한 것이 아니라 하나님의 은혜로 내가 택함받게 되었다.

나의 외숙은 제삿날이 다가오면 사흘 동안 집에 들어가지 않고 사당에서 주무시는 철저한 유교 신봉자였다. 내가 하나님으로부터 은혜를 받고 누구에겐가 전도하고 싶어 하던 중 먼저 외갓집을 갔는데 외숙모께서 너희 외숙은 절대 하나님을 믿을 사람이 아니다. 외숙 돌아가시고 나서야 전도 이야기를 끄집어내라고 하신다. 어머니께 효도하지 못했던 나는 초등학교 교사로 퇴직하신 외숙께 매월 광주일보를 보내드리는 등 정성을 다하였다. 외숙께서도 나를 친 자녀처럼 관심을 가져주셨다. 외숙모의 말씀에도 불구하고 외숙께 담대히 복음을 전하였는데 내 말을 들으신 외숙은 뜻밖에 이 나이에 믿어도 되느냐 반문하셨다. 외숙은 소천하시기 한 달 전에 예수를 영접하시고 세례를 받으셨으며 장례 절차를 기독교장으로 하라고 유언하셨다. 평소에 고귀하고 성실하게 살아오신 외숙은 하나님의 자녀로 택함 받은 것이다. 특정인에 대해 복음이 들어가지 않을 것이라는 선입견을 깨뜨리고 하나님께서 택하시면 누구라도 하나님의 자녀가 될 수 있음을 알게 되었다.

내 주변에는 진정으로 내가 사랑하는 친구, 선후배 중 불교도가 많다. 외숙같이 심성이 좋으신 분은 언젠가는 하나님께서 부르실 것으로 생각하면서 이분들도 하나님께서 선택하여 자녀 삼으시리라 기대한다. 그들이 이 글을 읽고 한 사람이라도 주님의 품으로 돌아오기를 기도한다. 내가 이 책을 펴낸 목적이 바로 여기에 있다.

내가 신학을 통해 깨달은 것을 소개하고자 한다.
1. 하나님께서 이 세상을 창조하시고 나를 만드셨다
누군가가 이 우주를 만들었음이 틀림없다. 성경은 태초에 하나님이 천지를 창조하셨다고 하셨다. 불교, 힌두교, 같은 종교의 창시자는 인간일 뿐이기에 감히 세상을 창조했다고 말할 수 없다. 세상의 종교는 모든 사건이 역사 속에서 일어난 인간의 사건이다. 하나님은 '나는 알파요 오메가요 시작과 마침'이라 하셨다. 세상을 창조했다고 말씀하시는 분은 오직 하나님뿐이다.

나는 증조할아버지를 뵙지 못했으나 분명히 계셨기에 내가 있는 것처럼 하나님은 분명히 계신 것이다. 바람이 세차게 불 때 바람의 존재를 느끼나 바람을 볼 수 없는 것처럼 우리의 눈으로 하나님을 볼 수는 없다. 다윈의 진화론은 원숭이가 진화되어 인간이 되었다고 한다. 많은 사람이 진화론을 과학적 사실처럼 받아들였으나 멘델은 돌연변이에 의한 진화가 불가능하다는 사실을 증명했다. 호랑이가 고양이를 낳을 수는 없다. 호랑이가 호랑이 낳는다. 어리석은 자가 그 마음에 이르기를 하나님이 없다고 했다.

2. 영적 체험을 통해 살아계신 하나님을 만날 수 있었다

생로병사는 하나님의 섭리이며 생사화복은 하나님의 손길에 있다. 아무리 기적같이 병이 치유되었다 하더라도 수한이 차면 죽게 된다. 살아 있는 동안 질병의 고통에서 벗어날 수 없다. 죽음만이 질병에서 완전히 벗어나는 것이다. 앞에서 서술한 바와 같이 삶 속에서 성령 하나님의 임재를 체험하는 가운데 하나님의 존재를 실감했다. 나의 질병이 치유되었다고 내가 영원히 사는 것이 아니다. 질병을 통해 내 안에 계신 성령 하나님을 만날 수 있었다. 라파 치유의 하나님은 병든 영혼을 구원하시기 위해 인간에게 신유 은사를 내리셨다. 내 이웃이 믿든 안 믿든 내가 보고 느낀 성령의 실체를 전하는 것이 나의 사명이라 생각한다.

3. 영생을 주신 하나님이시다.

인간이 죽으면 어떻게 될까. 사후 세계는 과연 존재하는 것일까? 인류의 역사가 시작된 이후 사람들의 마음속에 깊이 자리 잡은 최대의 수수께끼이다. 갤럽조사에서 사후 세계가 있느냐의 질의에 2/3 정도가 그렇다고 답했다고 한다.

하나님은 인간에게 죽음 뒤에는 영원한 세계가 있다는 영원을 사모하는 마음을 주셨다. 만약 죽음으로 모든 것이 끝난다면 종교가 필요하지 않을 것이다. 죽음 뒤에 심판과 천국과 지옥의 영원한 세계가 있다고 분명히 말씀하셨다. 천국은 해와 같이 빛나며 아름다운 보석으로 장식되어 있으나 지옥은 풀무 불과 유황

불의 형벌이 있다고 한다. 일부는 문학적 표현으로 기록되어 있는 것으로 보나 공의의 하나님은 분명 차등하게 행위에 따라 심판하시리라 믿는다.

4. 기독교는 부활의 종교이다.

"오호라 나는 곤고한 사람이로다. 이 사망의 몸에서 누가 나를 건져내랴?" 다른 종교는 사람의 고안으로 시작했지만, 기독교는 하나님의 계시에만 의존한다. '인간은 누구나 사형 선고를 받은 죄수다 다만 현재는 집행유예 중이다'라는 말처럼 죽음은 먼 훗날 나에게 다가올 미래의 사건이 아니라 늘 접속되어 있다. 내일이 나에게 있다고 보장할 수 없다. 그러나 죽음을 두려워하지 않는 것은 부활을 믿기 때문이다.

종교는 궁극적으로 죽음 이후의 세계에서 구원받는 것을 목표로 한다. 세상에 많은 종교가 있지만, 기독교는 사망을 이기는 '부활'을 증거하는 유일한 종교이다. 역사는 죽은 자 가운데 살아난 그리스도 부활의 증거를 확실하게 말해주고 있다.

완전히 썩은 우리의 몸이 어떻게 다시 생성될 수 있을까? 그것은 하나님의 무한한 능력이다. 기어 다니는 애벌레가 나비가 되어 날아간다. 뿌리는 씨가 죽지 않으면 새싹이 나지 못한다. 나는 부활이요 생명이니 나를 믿는 자는 죽어도 살겠고 무릇 살아서 나를 믿는 자는 영원히 죽지 아니하리라.(요한복음 11:25-26)

5. 하나님만이 참 신이다.

인간은 본능적으로 마음에 종교성이 있다. 자기 힘으로는 해결할 수 없는 절체절명의 상황에 이르면 무신론자들은 그들의 신을 만들어 섬긴다. 무엇보다 죽음이라는 고난은 인간의 힘으로 도저히 해결할 수 없기에 신을 의지하게 된다. 그러면 어떠한 신에게 의지해야 할 것인가?

강원도 어느 주지승은 부친의 영향으로 법주사에 입문 17년간 부처의 법도를 배우고 있었는데 어느 날 시주하러 마을에 내려가 한 청년이 배낭 속에 넣어준 성경책을 통독하다가 영생의 진리가 있는 살아 있는 종교는 기독교임을 깨닫고 목사가 되었다고 한다. 세상에는 사람들이 만들어 놓은 신이 많이 있다. 그러나 스스로 자신을 나타내신 참 신은 유일하신 하나님뿐이다. 하나님께서는 자신을 드러내시며 세상에 자신 외에는 다른 신이 없다고 하셨다. 오직 여호와는 참 하나님이요 살아 계신 하나님이시오. 영원한 왕이시라.(예레미야 10:10)

6. 성경의 무오성을 믿는다.

몇 년 전에 한 신문기자가 베스트 셀러로 온 인류가 읽고 있는 성경의 정체를 벗기려고 고고학적 증거를 샅샅이 뒤졌다. 그러다가 그는 고고학적 증거는 성경이 절대적으로 정확한 문헌이라는 것을 발견했다. 성경의 번역과 필사 과정을 거치는 동안 오류가 있을 수 있으나 성경의 원본은 오류가 없다. 문제는 이단들이 성경을 제멋대로 해석하여 혼란에 빠뜨리게 한다. 다미선교회 이장림 목사가 1992년 10월 28일 자정에 종말이 온다고 하므로 내가 섬기던 미암교회 일부 성도들이 미혹되어 어느 산골에 들어가 울부짖고 기도하였으나 아무런 일이 일어나지 않았다. 이 일로 교회는 물론 지역사회에 큰 충격을 주었다. 하나님은 날씨를 분별하면서도 시대의 흐름을 분별하지 못하는 세대를 책망하셨다. 이 시대에 적그리스도들은 더욱 활개를 치며 수단과 방법을 가리지 않고 유혹하고 있다.

7. 구원의 주 하나님이시다.

죽음에 대해 성경은 끝이 아니라 새로운 세상이 펼쳐짐을 말한다. 칼뱅이 인간의 죽음을 '통과'로 보듯이 덧없는 이 세상으로부터 다른 세상으로 옮기는 것이다. 영혼은 육체와 분리된 후에도 소멸하지 않을뿐더러 또한 수면 상태에 빠지는 것도 아니다.

영생을 얻을 수 있는 하나님의 자녀가 되는 길이 곧, 잘 사는 지름길이다. 죽음이 우리 인생의 끝이라면 삶은 너무 허무하고 무의미하다. 죽음이 끝이라면 하나님을 믿을 이유가 없다. 그러나 죽음은 삶의 끝이 아니라 새로운 생명의 시작이다.

우리는 이 세상을 떠날 때 어느 것 하나도 가지고 가지 못한다. 우리가 가지고 가는 것은 나의 존재, 곧 나 자신뿐이다. 어느 종교도 죽음의 문제를 해결하지 못한다. '죽음을 이기는 구원'이 있는 종교만이 진짜 종교이다. 죽음의 문제를 근본적으로 해결한 분은 바로 예수 그리스도이다. 기독교만이 영적인 갈급함을 채워준다. 예수님은 '내가 곧 길이요 진리요 생명이니 나로 말미암지 않고는 아버지께로 올 자가 없느니라'(요한복음 14:6) 하셨다.

그 무엇도 인간을 구원에 이르게 할 수 없다. 구원은 인간 스스로 선한 행위로 구원의 문제가 해결되는 것이 아니다. "하나님이 세상을 이처럼 사랑하사 독생자를 주셨으니 이는 저를 믿는 자마다 멸망치 않고 영생을 얻게 하려 하심이니라"(요한복음 3:16)라 하셨다. 예수를 믿는 자에게 주님의 은혜로 심판에 이르지 않고 사망에서 생명으로 옮기게 된다. 아름다운 신부가 등불을 준비하며 기다리고 있는 것처럼 주님 맞이할 준비를 하여야 한다.

하나님은 세상 만민 중에서 나를 택하여 자기 기업의 백성으로 삼으셨다. 예수님은 내가 힘들고 고통스러울 때 나를 먼저 찾아와 주서 만나주시고 위로해 주셨다. 내가 선하고 착하여 구원받을 자격이 있는 것이 아닌 불쌍히 여기사 손을 내밀어 주셨는데 내가 붙잡으로 하나님의 자녀가 되는 권세를 얻게 되었다. 그러므로 이 땅에서의 삶이 끝난 후에 이어질 영원한 안식처에 이르게 될 것이다. 솔로몬은 헛되고 헛되니 모든 것이 헛되도다. 하였다. 그는 인생의 허무를 말하면서 곤고한 날이 이르기 전에 우리 창조주를 기억하라고 권고하였다.

'아름다운 사람은 머문 자리도 아름답습니다.' 공중화장실에 있는 글귀이다. 다른 사람을 위해 깨끗하게 사용한 흔적을 남기라는 권고의 문구이다. 예수 그리스도는 인간의 몸으로 이 세상에 오셔 자신을 낮추시고 고난을 몸소 체험하시며 우리를 위해 십자가 제물이 되신 흔적을 남기셨다. 사도 바울은 내 몸에 예수의 흔적을 지니고 있노라 했다. 우리도 언젠가는 이 세상을 떠날 터인데 어떤 흔적을 남겨야 하겠는가? 내 자녀에게 부끄러움이 되지 않도록 섬김과 나눔, 희생의 아름답고 귀한 믿음의 흔적을 남기리라

이제부터 나의 인생에서 가장 중요한 과제는 웰다잉을 준비하는 일이다. 인생은 잠시 머무는 나그네 여정으로 세상의 것을 탐욕 낼 필요도 없고 목숨 걸 이유도 없다. 때가 되면 우리가 누려왔던 모든 것을 뒤로하고 홀연히 떠나야 한다. 가장 지혜로운 사람은 하나님을 알고 영생의 길을 선택한 자이다. 오직 하나님을 경외하고 그 명령을 지키는 것이 사람의 본분이다. 아직 예수를 믿지 아니하는 내 가족 일가친척과 사랑하는 이웃들이 이 세상 우주를 창조하시고 살아 역사하시는 하나님이 참 구주이심을 깨닫고 하나님을 섬기기를 무릎 꿇고 기도한다. 문밖에서 두드리는 주님의 음성을 듣고 주님을 영접하므로 영적인 눈이 열리어 사망에서 생명(영생)의 길로 들어서므로 이제껏 느껴보지 못한 참 기쁨과 행복을 느끼며 살아가길 원한다. 주 예수를 믿으라 그리하면 너와 네 집이 구원을 받으리라(사도행전 16:31)

❀ 인생의 종착점에 이르기 전에

살아오면서 내가 죽었다는 소문이 두 번 있었다. 내가 장사하던 '에덴 슈퍼' 집을 매도했는데 얼마 안 되어 그 가계를 매입했던 사람이 그만 오토바이 사고로 숨지는 사고가 발생하므로 '에덴 슈퍼' 주인이 죽었다고 하니 내가 죽은 것으로 소문난 것이다. 또 내가 학산농협에서 미암농협으로 인사이동 된 지 얼마 되지 않아 학산농협으로 발령 난 전무가 교통사고로 숨지는 사고가 발생하므로 내가 죽은 것으로 알려진 것이다. 소문이 아닌 언젠가는 나도 예외일 수 없이 분명 죽을 것이다.

가장 확실한 세 가지는 반드시, 혼자, 빈손으로 간다는 사실이다. 또한 불확실한 세 가지 언제 어디서 어떻게 죽을지 모른다는 것이다. 그리고 분명한 것은 육체(흙)는 여전히 땅으로 돌아가고 영은 그것을 주신 하나님께로 돌아가는 것이다. 죽음 이후의 새로운 시작을 위해 천국 보험을 미리 준비하고자 한다. 야곱이 늙어서 자녀들을 발치에 모아놓고 영적인 복을 나누어 주었듯이 죽기 전에 자녀들에게 영적 유산을 물려주어 복음을 전수하고 싶어 이 글을 쓴다. 젊어서 풍부한 인생의 경험을 하지 않은 사람이 어떻게 늙어서 젊은이에게 지혜로운 충고를 해줄 수 있겠는가 하듯이 삶의 아픔과 깊이를 나의 자녀들에게 전하므로 자녀들의 삶에 도움이 되었으면 하는 바람이다.

나는 성경의 인물 중 갈렙을 좋아한다. 갈렙은 85세에 '이 산지를 내게 주소서'라고 하나님께 부르짖었다. 안전과 편안함을 추구하는 것이 아닌 능력 주시는 자 안에서 나는 할 수 있다는 자신감으로 황혼기를 전성기로 누리며 멋있게 나이 들어가는 모습을 보며 나에게 전성기는 이제부터라는 확신으로 나에게 주어진 사명을 향하여 더욱 매진하고자 한다. 어떻게 잘 늙어 가는 길을 향하여 갈 것인가를 생각하며 쓸모없는 존재로 기피의 대상이 되는 나의 모습이 아닌 욕심을 버리고, 베풀고 나누고 드리는 모습으로 교만하지 아니하고, 감사함으로. 매사에 긍정의 태도로 진액이 풍족하도록 잘 익은 노년의 성숙을 완성해 나아가고 싶다. 관섭하고 참견하는 모습이 아닌 겸손과 온유한 모습으로 정말 곱고 멋지게 늙으셨다는 말이 나오도록 살아가고 싶다.

'네 원수가 주리거든 먹이고 목마르거든 마시게 하라(로마서 12:20)' 했다. 악을 선으로 갚음으로 그들이 자신의 행동을 부끄러워하게 되듯이 나를 힘들게 한 자에게 내가 먼저 손을 내밀고 그들을 포용하고 사랑하련다. 인생 칠십을 넘어 이제 남은 인생 누구와도 허물없이 어깨동무하고 싶다. 사랑하는 벗들과 함께 노년에도 젊은이 못지않게 값진 인생 살아가고 싶다. 날마다 실버의 기쁨을 누리며 살아가고 싶다

표현기법이 미흡하여 보고 듣고 느낀 지난날의 내가 경험한 사실을 감동 있게 서술하지 못했으나 이 글을 읽는 자들이 공감하고 은혜로 받아들이면 좋겠다.

들꽃처럼

신 현 심 (申鉉心)

1955년 영암 출생
목포상업고등학교 졸업
동아보건대학교 선교복지학과 졸업
영남사이버대학교 신학과 졸업
목포농아원 원장
전남 여성프라자 1366 정년 퇴임

제2부 들꽃처럼

9. 느티나무 아래

　내가 태어난 곳은 미암면 남산리 영선마을이다. 미암면에 선황
(왕) 산은 장차 왕이 날 자리라고 할 정도의 신령한 산으로 이
산 기슭 아래 미암초등학교 28회 졸업생이다.
　아버지께서 초등학교 교사이셨기에 학교를 따라다니다 7살에
입학하다 보니 동기생들이 대부분 나이가 많아 오빠 언니와 함
께 공부하였다. 당시 학교의 교훈은 '스스로 바르게 깨끗이' 인
데 지금은 '꿈, 슬기, 사랑을 가꾸는 자랑스러운 어린이가 되자'
로 바뀌었다고 한다. 당시에는 미암이 바닷가이기에 교가에도 바
닷가 노랫말이 들어 있다. 언제 들어도 정겨운 교가이다.

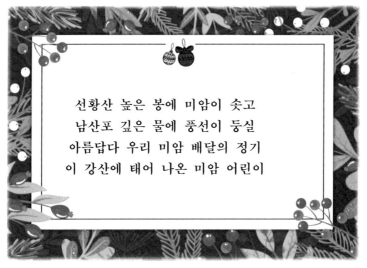

선황산 높은 봉에 미암이 솟고
남산포 깊은 물에 풍선이 둥실
아름답다 우리 미암 배달의 정기
이 강산에 태어 나온 미암 어린이

　우리 집은 집안이 넉넉하여 농사일을 돌보던 사람이 두 사람

이나 있을 정도로 소와 전답이 많았는데 내가 초등학교 5학년 때 아버지께서 갑자기 간에 이상이 생겨 의료보험제도와 병·의원이 별로 없던 시절이었기에 모든 가족이 아버지 병시중에 매달려야 했다. 병원비 조달을 위해 그 많던 전답을 팔게 되었는데 완쾌되어 퇴원하시던 날 의사 선생님께서 할아버지께 아들을 돈으로 사서 가신다는 표현을 하셨다고 한다. 이런 환경으로 나는 6학년 때 가는 수학여행도 갈 수 없는 형편에 이르렀다. 기가 죽어 집에 있는데 담임선생님께서 어느 분이 냈는지 모르나 수학여행 갈 수 있는 돈이 마련되어 있다 하므로 해남 대흥사로 수학여행을 다녀올 수 있게 되었다. 지금 생각해 보니 그때 나의 수학여행 비용은 누가 부담했는지 궁금하고 고마울 뿐이다.

2남 3녀의 장녀로 태어난 나는 내 위의 오빠가 중앙대학교에 다니고 있었기에 내가 고등학교에 다니기에 무리였다. 그럼에도 워낙 교육열이 높으셨던 할아버지 덕분에 상업고등학교를 다닐 수 있었으며 취업을 준비하여야 하나 교사의 꿈을 실현하기 위하여 차가운 도서관에서 쓰러질 정도로 열심히 공부한 보람으로 상업고등학교에서 합격하기 힘든 예비고사를 거쳐 교육대학에 입학할 수 있었다. (졸업생 중 2명) 그러나 합격의 기쁨도 잠시 나에게 삼촌이 찾아와 이불 보따리를 챙겨 목포에서 서울행 완행열차를 탑승시켜 대학 꿈은 좌절되고, 슬픔으로 하염없이 눈물을 흘리며 서울로 올라가게 되었다. 교사 생활을 접고 서울로 이사 온 부모님은 사당동 은행나무 아래에서 가계를 운영했고 나는 슈퍼마켓 체인 본점에 취업하여 가족을 돌보게 되었다.

10. 논두렁 밭두렁에서

※ 나의 시어머니 복산댁

남편은 이웃 마을의 초등학교와 고등학교 선배로 친구의 이종 사촌 오빠다. 목포에서 고등학교 다니던 어느 날 첫 만남이 이루어지고 나서 선후배로서 오빠라 부르기보다 형으로 부르면서 서로 편지를 주고받으며 8 여년 동안 허심탄회하게 대화를 나누다 사랑이 싹트게 되었다. 일찍 남편을 여의고 홀로 사신 시어머니께서는 내가 서울에 거주하고 있었기에 며느리 되는 것은 시골 사정에 안 맞는다며 달갑게 여기지 않으셨으나 결혼식 때에 링거를 맞고 참석하셨다. 큰집이 이웃 동네에 있었기에 모내기 등 농사철이 되면 리어카를 끌고 논두렁 밭두렁을 다니며, 아궁이에 불을 때던 시절인지라 눈물, 콧물 범벅이 되면서 음식을 만들어

새참과 점심을 제공하자, 주변에서 서울 새댁이 일 잘한다고 칭찬하므로 나를 불신하던 시어머니께서 마음을 열어주셨다.

어머니 회갑연

몸이 허약한 시어머니가 부인병으로 힘들어하시어 광주의 큰 병원에서 진찰을 받았는데 약한 체질이므로 당장 수술할 수 없어 몸을 보신한 후 오라고 하므로 송아지 태와 어린아이 태까지 구해 먹기 좋도록 콩가루로 묻혀 정성을 다하였건만 건강은 좀

처럼 회복되지 않았다. 그러던 중 큰 시누이 소개로 민간요법 치료사에게 약물 처방을 받은 게 화근이 되어 점점 다리에 힘이 빠지면서 결국 드러눕게 되었다.

요양병원이 없던 시절이기에 갈수록 식사 수발, 용변 처리를 나 홀로 뒷감당을 해야 했다. 지금 생각해 보아도 젖먹이 아들 둘을 키우며 밤낮이 따로 없이 가게일, 남편 시중 등 일인사역의 역할을 어떻게 감당해 나갔는지 모르겠다. 온 힘을 다해 가게를 꾸려나가며 시어머니를 섬겼다고 하지만 막상 시어머니께서 소천 하시자 더 어머니께 집중하여 섬기지 못함이 너무 죄송스러워 많이 울었다. 차츰 가정이 안정되어 가면서 지금 살아계신다면 시어머니를 좀 더 편히 모실 수 있을 텐데 하는 아쉬움이 들었다

어머니 회갑 때 남편과 자작하여 부른 노래 가사이다.

어머니 회갑날

태중에 있을 적 간구한 기도 장성한 오늘도 쉬지 않네.
우리를 위하신 어머님 일생 그 사랑 은혜에 우리 있네.

눈물로 겪으신 지나간 세월 어려움 속에서도 우릴 위해
날마다 젖은 손 마를세 없이 올올이 짜 오신 지난 날 들

오늘은 즐거운 어머님 회갑 천지간 만물도 춤을 추네.
온가족 모여서 축하를 하니 어머님 만복을 누리소서.

❊ 송아지 한 마리

　장남인 남편은 유달리 자녀들보다 오히려 동생들에 관심을 더 많이 두고 있었다. 남동생이 서울에서 대학을 다니는데 하숙시킬 형편이 안 되므로 나의 친정에서 다닐 수 있도록 친정어머니께 부탁하므로 숙식을 해결하게 되었다. 층층시하에서도 사돈총각을 보살펴주셨던 어머니가 너무 감사하다, 그 무렵 친정어머니께서 내가 결혼 전 직장 다니면서 붓던 곗돈을 타셨다며 그 돈을 주셨다. 어떻게 불려 나갈까 궁리하다 소를 키우면 돈이 될 것 같아 초등학교 동창 친구 부모님을 찾아갔다. 어린 송아지를 한 마리 사 드릴 테니 키워서 새끼 낳으면 가져가시고 큰 소는 내게 주시라는 조건으로 해주실 수 있는지 의논하자 그러시겠다고 하여 소를 구입하였다. 소를 사놓고 가끔 친구 부모님 집을 방문하여 커가는 소를 바라보며 마음 흐뭇해 미소 지었다.

　하루는 친구 아버지께서 만나자고 하시더니 몸도 아프고 바빠 도저히 소를 키울 수 없다며 가져가라고 하신다. 우리 집은 외양간도 없고 짐승 기르는 일을 해본 적이 없기에 고민이 되어 남편에게 의논하였다. 이제껏 숨겼다고 야단맞을까 걱정했는데 없는 '소'가 있다고 하니 남편의 기분은 오히려 좋은 것 같았다. 소를 키울 수 없기에 소 경매를 담당하는 친구 아버지께 부탁하여 소를 팔았는데 생각보다 거금이었다. 이후 며칠이 지나니 남편이 내게 의논할 일이 있다 하더니 시동생이 대학에 합격하여 등록금이 필요하다며 소 판 돈으로 등록금 하자고 한다. 어떻게 하겠는가?

　내가 대학에 합격해 놓고 돈이 없어 입학할 수 없는 형편을 겪으며 많이 마음 아팠는데 시동생의 입학 좌절을 바라만 보고 있을 수 없어 입학금으로 사용하도록 하였다. 힘든 시기에 결혼 예물까지 팔아 공부 밑천이 되도록 했는데 시동생(최문용)은 일본 유학을 마치고 삼성에버랜드에서 해외 마케팅을 담당하다가 관광학 박사가 되어 청운대학교 교수로 옮긴 후 2024년 2월 정년 퇴임하였으며 막내 시누이(최희정)도 한국은행을 거쳐 금융의 꽃이라 불리는 금융 감독원에서 오랫동안 근무하다 정년퇴직하였으니 보람과 자랑이 된다. 그때 팔아버린 폐물이 아쉬웠는지 남편이 내게 목걸이와 반지를 사주겠노라 여러 번 권유했으나 그 고마워하는 마음만을 받았다.

올해(2024.4) 칠순 기념일을 맞아 금산의 하늘 물빛공원에 갔는데 때마침 부부 가수의 라이브공연이 있었다. 행복에 따른 신청곡을 받아 남편이 조경수의 '행복이란' 노래를 들려 달라고 하므로 우리를 향해 이 곡을 부르는데 나의 칠순을 축하해주기 위해 마련된 무대 같았다. 그다음 주일 예배 후에 음치인 남편이 '당신 없는 행복이란 있을 수 없잖아요. 이 생명 다 바쳐서 당신을 사랑하리.'의 '행복이란' 노래를 성도들 앞에서 부끄러워하지 않고 부른 후 내 손을 잡아주며 '보석 목걸이'를 걸어주었다. 성도들이 뜻밖의 광경에 놀라워하며 모두가 손뼉을 치며 축하해주므로 벅찬 마음에 내 가슴이 뛰었다. 다음 노랫말은 내가 이어 부르리라 '이 목숨 다 바쳐서 영원히 사랑하리'

최문용 (좌측)

최희정(좌측 아래 두번째)

11. 담배집 이야기

※ 수박 한 리어카

결혼 전부터 시어머니와 시누이가 조그만 가게를 운영하였는데 시누이가 시집을 간 후 자연스럽게 내가 그 일을 맡아 하게 되었다. 면 소재지에 우리 집 한 곳만 가게가 있었으며 담배 하치장을 겸하여 이웃들이 나를 담배집 며느리 혹은 복산댁 며느리로 호칭하였다. 이 호칭이 지금도 어느 이름보다 더 정겨움을 느낀다.

때마침 농지 경지정리가 시작되어 많은 일꾼이 일하므로 우리 집에서 간식을 사가며 다양한 생활용품을 취급하므로 손님들이 북적거렸다. 저녁에도 마을에서 놀던 분들이 심심찮게 간식을 사러 나오는 일이 자주 있어 신혼 때부터도 잠옷을 따로 갈아입지 못하고 자다 일어나 손님을 맞을 때도 많았다. 오후 학생들의 하교 시간이면 가게는 초만원으로 학생들이 물건을 집어 들고 오면 계산하고 혹 짓궂은 아이들이 계산하지 않고 가져가는 경우가 있어 지키는 일도 동시하였다.

여름이 되면 새벽 일찍 수박밭으로 달려가 손수레로 수박을 구매하여 팔고 다른 과일까지 취급하였다. 수박을 운반하기에는 여자의 몸으로 힘이 많이 들었다. 그때 이웃집 초등학교 5학년 '성도'가 항상 나를 따라다니며 뒤에서 밀어주니 나에게 큰 응원군이 되었다. 어느 날 수박을 가득 싣고 '성도'의 도움을 받아 오르막길을 올라오고 있는데 남편이 오토바이를 타고 달려오고 있지 않은가. 당시 내가 첫애를 가지고 무거운 짐을 끌고 다니는 것이 걱정스러워 출근하려다 말고 온 것이다. 괜찮다고 어서 출근하라고 하였음에도 자주 뒤를 되돌아본다.

그날 저녁 남편은 식사를 마치고 '수박 장사 안 하면 안 돼?' 라고 말한다. "무슨 말씀이에요 한 손수레 가져오면 그날그날 거의 다 나가고 재고만 없으면 그래도 과일 파는 재미가 너무 괜찮아요" 힘들고 몸이 지친 적도 많았지만 늘 도와주는 학생이 고맙고, 걱정스러워 출근길에 멀리까지 아내를 보러 왔던 남편의 따뜻한 마음이 나에게 위로가 되며 지친 육신의 피로를 풀어준다. 수박뿐만 아니라 무거운 화물까지 취급하며 쌀가마니를 옮겼으니 그때의 심한 노동으로 지금 허리가 아픈 것 같다.

　'에덴 슈퍼'라는 상호를 가지고 가게를 꾸려가면서 좋은 일, 궂은일도 많았다. 우리 집이 도로에 편입되어 건물 일부가 수용되어 버렸다. 집이 헐리게 되었으나 재건축이 힘들게 되었는데 동네 출입하시는 분이 도로로 편입되어 헐게 되었으므로 건축하여도 누가 뭐라 하겠느냐며 신축해 버리라고 한다. 남편은 이 말을 듣고 젊은 혈기로 건축허가 없이 신축해 버렸다. 그런데 누군가 불법으로 건축한다며 군청에 신고하여 철거 경고장이 날아들었다. 항상 내 주변에는 시기하고 경쟁한 자가 있음을 미처 깨닫지 못한 것이다. 막대한 돈을 들어 신축한 건물을 철거해야 하니 하루하루가 불안과 고통이었다. 이 무렵 시누이의 남편 매형이 영암군 통일주체국민회의 대의원으로 의장직에 있었다. 이분께서 적극적으로 나서서 일 처리를 해주어 집을 완성할 수 있었다. 신축한 집에 들어와 욕실에서 거울을 보니 내 모습에 깜짝 놀랐다. 목이 앙상하게 뼈만 남아 있었다. 법을 어기며 무리한 집짓기로 얼마나 마음고생을 했는지 언제나 질서와 법을 준수하며 살아야 함을 통절히 느끼게 되었다

  평통의장의 도움을 받았기에 항상 고마움을 느끼던 중 남편에게 자신이 계획하고 있는 사업이 있는데 동참할 의사가 있느냐 제안을 해왔다. '천협 농장'을 대단위로 경영하며 사업 수완이 탁월한 분이기에 우리 가정을 택하여 준 것만으로도 고마워 어떤 사업인지 자세히 살펴보지도 않고 300만 원을 투자하게 되었다.
  영암읍의 광주 약국을 비롯한 저명인사 5분과 합자한 사업은 가두리 향어 양식장이었다. 사업 설명회를 듣고 보니 큰 소득이 될 것 같았다. 삼호면 동호리에 있는 영산강에 가두리 양식장을 설치하였는데 시행착오가 많이 발생하였다. 남편은 직장 일보다 사업에 뛰어들다 보니 업무에 소홀하게 되었고 소득 없이 투자 비용은 갈수록 늘어났다.

  그러던 어느 날 드디어 성어 수확을 하게 되는 날이다. 모든 출하에 따른 준비를 마치고 대기하고 있는데 그날 새벽에 전화가 왔다. 사업을 총괄하고 있는 사돈이 홀로 농장에서 잠을 자다가 심장마비로 사망했다는 것이다. 마른하늘에 날벼락 같은 소리이다. 기둥이 무너진 사업은 흔들리기 시작했다. 투자금액만도 1,300만 원이 넘었는데 가두리 사업은 끝이 보이지 않았다.

  직장의 경영 최고 책임자가 업무에 충실하지 않고 있으니 당

시 조합장이 건의하여 남편은 집에서 가장 거리가 먼 금정농협으로 인사이동이 되어버렸다. 남편은 직장과 사업 중 하나를 선택해야 했다. 결국 우리는 가두리 양식장을 포기하기로 하고 4명의 사업자에게 나의 지분 전부를 포기하겠노라 하면서 사업이 잘되면 나의 투자 지분에 대해서는 여러분의 성의에 맡기겠노라 했다.

앞으로도 500여만 원이 더 투자될 형편이었는데 이곳에 투자할 미련을 버리고 당시 농어가목돈마련 저축 만기 수령액 600만 원으로 삼호 산호리에 있는 토지를 매입하였다. 그런데 이 토지가 대불공단으로 편입되어 3배 이상의 보상금을 받게 되므로 가두리 양식장에 들어간 투자금액보다 많은 보상금을 받아 손실금 전액을 건지게 되었다. 과감한 결단이 더 큰 손실을 막았고 남편의 직장을 지키게 하였다.

❋ 쨍그랑 동전

그 당시는 구멍가게에서 슈퍼마켓으로 상호를 바꿔 운영하는 경우가 많았다. 하루는 젊은 남자 두 분이 가게를 방문하여 슈퍼를 내주겠다며 보증금을 입금하라고 한다. 확실히 신분을 확인한 후 입금하려고 하는데 지금 당장 자신들에게 입금하지 않으면 다른 사람을 주겠다고 하니 난감하였으나 선뜻 돈을 건넬 수는 없었다. 어머니께서는 싸게 물건을 공급해 주겠다는데 안 한다며 나무라 하시기에 그들을 떠나보내고 걱정이 되어 남편이 돌아오자 자초지종을 말하니 깜짝 놀라며 돈을 주지 않는 게 천만다행이라면서 요즈음 슈퍼를 내준다며 돈을 갈취하는 사기꾼들이 많다는 것을 신문에서 보았다는 것이다. 나중에 알고 보니 막 시작한 옆집 가게는 돈을 주고 물건이 공급되지 않아 광주까지 찾아갔으나 그들은 도망가 버렸고 피해자들만 웅성거리고 있더라는 것이다. 그들은 싼 가격으로 물건을 공급해 주겠다는 신종 사기꾼들이었다.

어느 날, 도둑이 든 적도 있었다. 늦은 저녁 무렵 안방에 있는데 갑자기 동전이 땡그랑 굴러가는 소리가 났다. 문을 열고 금고를 쳐다보니 소형 금고가 보이지 않았다. 순간 도둑이 들었다는 생각에 가까운 곳에 있는 파출소로 달려가 신고를 한 후 경찰과 현장을 조사해 보니 도둑이 다른 쪽 창문을 열고 도망가려다 그만 금고의 동전이 움직이면서 쨍그랑 소리가 나서 내가 문을 열자 급하게 도망간 것이다.

한참을 지나 경찰이 범인을 잡아 왔다. 범인은 반드시 현장에 다시 나타난다는 것을 감지한 경찰은 오랫동안 잠복하여 살펴보고 있었는데 한 사람이 유유히 휘파람을 불며 아래쪽에서 올라

오고 있어 자세히 살펴보니 신발 끈이 아주 단단히 매여 있어 범인임을 직감하고 파출소로 연행한 후 범행 현장에 남겨진 발자국에 화학약품을 뿌려 나타난 신발 자국과 그 범인이 신고 있던 신발과 일치하므로 그가 범인임을 확정한 것이다. 과학적인 수사와 경찰의 직감력에 따른 적극적인 대처 능력에 경찰의 모습이 달리 보였다. 알고 보니 우리 가게에 와서 음료수를 마시며 간식을 구매한 사람이었다. 미리 가게를 탐색했던 모양이다. 홀로 가계를 꾸려가다 보니 도둑의 표적이 된 것이다.

우리가정의 보금자리

※ 하얀 입술의 의사

　당시 의료시설이 전혀 없는 시골 우리 미암면에 처음 보건소
가 설립되어 대학을 갓 졸업한 젊은 총각 선생님이 부임하였다.
친절하고 인물 좋은 선생님은 아픈 곳을 잘 치료해 주니 목포까
지 나가지 않고도 병을 치료할 수 있어 인기가 좋았다. 그런데
어느 날 아침에 일어나 마을 사람들이 웅성거리는 것을 보고 물
으니 보건소 소장이 죽었다는 것이다. 믿어지지 않아 두려움을
무릅쓰고 보건소로 달려가 보니 방안에 누워있는 선생님은 입술
이 하얗게 질려 있고 얼굴이 백지장 같았다. 홀로 시골 오지에
와서 우리를 치료해 주던 선생님이 보건소 건물이 없어 회관을
임시 사용하고 있었는데 연탄가스가 문틈으로 들어가 돌아가신
것이다. 외아들을 잃고 눈물 흘리며 비통하게 울부짖는 그 선생
님 어머니 모습을 보면서 남의 일 같지 않아 나도 모르게 눈물
이 났다. 이후로 오랫동안 선생님의 마지막 모습이 잊히지 않고
두려움에 많이 힘들었다.

　연탄가스로 혼난 일이 우리 집에도 두 번이나 있었다. 음식솜
씨 좋으시고 바느질도 잘하신 시어머니께서 광양제철에 근무하
는 둘째 딸 사위에게 무척 잘하셨다. 딸 집 방문하시려면 목포에
서 홍어를 사서 삭히시고 쑥을 뜯어 찹쌀가루에 섞어 부침개를
만드는데 그때에는 연탄 아궁이를 사용했던 때라 연탄불 옆에
앉아서 한나절 떡을 부치고 일어나려는데 그만 부엌 바닥에 쓰
러져 버렸다. 떡을 부치느라 연탄가스를 많이 마신 것이다. 김칫
국물을 먹고 누워 쉬었으나 머리가 아프고 얼마나 어지러운지
며칠을 앓아누웠다.

　또 한 번은 연탄 아궁이를 사용하던 때에 한참 잠을 자고 있

는데 큰아들이 자지러지게 울어 잠결에 일어나 젖을 물리고 달래는데 아기를 안은 팔이 자꾸 축축 늘어지는 것이 아닌가. 그래도 왜 그런지 모르고 잠에 취해 아들을 잠재우려 하는데 남편이 화장실에 가려고 일어나 문을 열고 나가다 그대로 쓰러져 버린 것이다. 그때서야 연탄가스 중독으로 알고 문을 열어 환기했다. 그때 아들이 울지 않았다면 모두 죽을 뻔하였다. 듬직한 아들 지금도 늘 고맙다.

싱가포르 거주하는 시온가족

❋ 무서운 손님

우리 가게는 심심찮게 보따리장수나 배고픈 사람들의 쉼터가 되어 머물렀다. 시골이기에 대문은 항상 개방되어 있으며 창고 문도 거의 잠그지 않는다. 하루는 남편이 아침 시간에 가게 물건을 가지려 창고에 들어갔는데 낯선 사람이 누워있어 깜짝 놀라 앞집 친구를 불러 도움을 청하여 들여다보니 숨이 멈춰있는 상태였다. 그 사람은 추위를 피해 문이 열려있는 창고로 들어왔다가 동사한 것이다. 즉시 파출소로 신고하고 이 사람의 신원을 수소문해보니 3km 떨어진 마을의 이 모 씨의 형님인 것 같다고 하여 연락하여 확인해 보도록 했는데 자신은 전혀 모르는 사람이라고 한다.

파출소에서 지문을 확인하며 조사해 보니 그분의 형님이 맞았다. 행려자로 발견된 형님으로 인해 불이익이 되고 처리 비용 등의 골치 아픈 일을 피하려고 거짓말을 한 것이다. 행려 사망자는 검찰에서 명령이 있어야 옮길 수 있으므로 신분이 확인될 때까지 오랫동안 시체가 집 안에 있으므로 너무나도 힘든 시간이었다. 나중에야 가족들이 경운기를 가져와 시신을 옮겨가므로 마무리되었으나 가족을 외면하는 모습을 보면서 참으로 어이가 없었다. 그 일이 있는 후 창고에 홀로 들어가기가 무서워 남편이 있을 때만 들어가려 했다. 남편의 그늘이 얼마나 큰지를 뼈저리게 느꼈다

12. 마을, 이웃을 품고

❋ 일용직이어도 좋아

수박은 물론 핫도그까지 판매하며 정신없이 바쁘게 움직이다 보니 가계가 번창하여 그 많던 빚을 대부분 갚고 부모가 팔아버린 논을 다시 사드린 모습을 본 어머니께서는 아주 좋아하시면서 '앞으로 열 마지기를 더 사거라' 하며 기뻐하신다. 그런 시어머니의 바람 때문인지 남편은 무엇보다 더 전답을 장만하고자 했다. 가게 일로 지쳐 있던 나는 남편 직장의 농협 하나로 마트(당시 연쇄점)와 동일 업종의 경쟁이 되는 사업이라는 주변 사람의 민원도 있었기에 아쉬움은 있으나 가게를 매도하게 되었다.

이후 막상 집을 팔고 나니 남편이, 자신과 아이들이 태어난 부모님이 물려주신 집을 팔았다는 자책이 드는지 가게 쪽으로 가지 않고 옆길로 돌아간다. 그 무렵 가게를 매입했던 사람이 사망하여 그의 아내가 가게를 팔려고 한다는 말을 듣고 다시 우리가 가게를 인수하여 다른 사람에게 전세를 주었다. 전세 세입자 젊은 부부는 삼 년 정도 가게를 운영하면서 뜻밖에 이십억 정도의 복권에 당첨되어 서울지역으로 이사를 하였다. 에덴슈퍼 주인이 복권에 당첨되었다고 하니 우리가 복권에 당첨된 줄 알고 축하를 해주는 해프닝도 있었다.

가게를 매도 후 쉬던 중 하루는 면 직원으로부터 한 달간 공시지가 책정하는 일에 일용직 직원을 채용하는데 근무해보지 않겠느냐고 한다. 팔순 할머니들도 아침이면 논과 밭으로 나가는데 젊은 내가 가게를 접고 집에만 있으니 내 시계만 멈추어 있는 듯 무료하고 답답한 마음이 들어 그렇게 하겠노라 대답을 하고 면사무소에 출근하게 되었다.

상업고등학교를 졸업했기에 숫자에 밝은 면이 있어 세금부과와 징수 등 민원처리 업무에 어려움 없이 잘 대처해 나갈 수 있었다. 우리 집 가게를 드나들던 이장님을 비롯한 여러분들이 내가 면사무소에 근무하자 더욱 좋아하며 반기므로 그들의 민원업무를 정성껏 보살피며 즐거움으로 일하다 보니 애초 한 달 근무하려 했던 일이 무려 십 년을 근무하게 되었다.

미암면사무소 근무는 나의 삶에 전환점을 가져오게 했다. 민원실에 근무하고 있을 때 이웃 면에 있는 동아 인재대학에서 팩스로 대학생 모집 안내장을 보내왔다. 퇴근하면서 이 안내장을 남편에게 보여주면서 남편에게 입학할 것을 권유하니 오히려 자신보다 나에게 못 이룬 꿈을 다시 시작하라며 당장 원서를 제출하라고 한다. 교육대학을 입학할 기회를 놓친 나의 안타까움을 알고 있던 남편은 더욱 '선교복지과'는 전도사와 사회복지사 자격증까지 가질 좋은 기회라면서 응원을 해주니 너무나 고마웠다.

남편의 배려로 동아인재대학(야간)에 입학한 나는 면사무소 퇴근 후에 남편이 승용차까지 내주어 야간 수업을 오후 10시경에 마치고 집으로 돌아오는 시간은 피곤함이라기보다 매일의 즐거움이었다. 당시 내가 나이가 제일 많은 편이었으나 언제나 맨 앞자리에 앉아 교수님의 강의를 듣고 리포트도 성실히 작성하였다. 다행히 아들이 다니는 초등학교에 컴퓨터 교실이 개설되어 컴퓨터 선생님을 찾아가 학부모에게도 수업을 받을 수 있도록 해 달라고 요청하여 공부한 것이 큰 도움이 되었다. 대학 생활에서 가장 귀한 일은 김만덕 학우를 만난 일이다. 그는 나를 친언니처럼 대하고 다른 학우들이 나이 많은 나를 배려해주므로 차분히 실력을 쌓아 수석 졸업의 영광을 안게 되었다.

※ 새마을 운동

마을을 섬길 수 있는 젊은 사람이 부족한 실정이기에 나에게
새마을 부녀회장을 맡아 달라고 하여 기꺼이 승낙하였다. 뭔가
보람된 일을 찾아 가까운 농장에 일손 돕기를 자청하여 도움의
손길을 주므로 일손이 달린 그곳에서 고마운 표시로 주는 사례
비로 마을 기금을 마련하여 더욱 부녀회가 활성화되었고 회원
간의 결속이 이루어졌다. 물론 나이 차이가 있기에 회원 간 의견
이 상충하며 불만도 터져 나와 어려움이 많았으나 회원들을 설
득하며 진정시키는 게 더 큰 보람을 느끼게 되었다.

재활용품 모으기, 헌 옷 모으기 등을 통해 회비를 충당하며 정
월 대보름에는 사물놀이 조를 편성하여 각 가정과 면사무소, 농
협, 파출소, 우체국 등 기관을 방문하여 꽹과리를 치며 신명 나
는 춤마당을 펼치므로 회원간 결속은 물론 이들이 제공해주는
물질이 회비 증가에 큰 도움을 주었다.

회원들의 자원봉사로 칠순이 넘으신 어르신들을 초청하여 음
식을 대접하며 그동안 모인 회비로 부녀회 주관 제주도 마을 여
행을 계획하였다. 마을 단위로 제주도 여행은 부담스러운 부분이
많았으나 회원들이 보람과 자부심을 느끼고 적극적으로 추진하
므로 부녀회원뿐 아니라 마을 분들 누구나 참여하여 아무런 사
고 없이 무사히 다녀올 수 있었다.

특히 독거노인들을 돌보아드렸는데 한번은 야밤에 홀로 계신
남자 어르신이 폭우로 방에 물이 찼다는 전화를 받았다. 난감하
기는 하였으나 옷을 주섬주섬 입고 플래시를 들고 어르신 집에
도착하니 마당에 물이 차오르고 방에도 침수되었다. 먼저 하수구
로 가서 낙엽 등으로 막혀있는 하수구를 뚫어 물이 내려가게 했
으며 그 후에도 반찬을 만들어 드리며 온 정성을 다하여 도움을

드렸는데 뜻밖의 부작용이 생겼다. 그분이 우리 집을 자주 오르내리면서 내가 보이지 않으면 주변 분들에게 내가 어디 갔느냐 물으며 '어디를 그렇게 다니는지 모르겠다.'라며 새로운 시어머니 역할을 한 것이다. 정이 메마른 그분은 시도 때도 없이 자신에게 더 집중해서 잘해주기를 바라는 것이다.

여성 새마을 지도자로 지역신문에 기고한 내용이다.

녹색의 잎들이 바람결에 흔들리며

싱그러운 내음을 마음껏 뿜어 대는 성하의 계절에 이런저런 아름다움을 누려볼 여유도 없이 오늘도 꼭두새벽에 작업 터로 내닫는 농부들의 종종걸음이 있습니다. 두통. 신경통에 관절, 고혈압, 하우스병까지 안 아픈 곳이 없고 안 쑤시는 곳이 없지만,

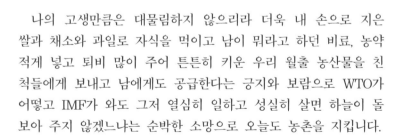

아침만 되면 다시 달려 나가는 열심이 있습니다. 논밭을 경작하고 소를 치면서 자식의 학비를 벌기 위해 남의 작업 바탕도 마다하지 않고 품을 팔고 닥치는 대로 궂은 일을 해도 어엿이 자라가는 자식을 보며 늘어나는 통장을 꺼내 보며 온갖 고생도 보람으로 여겼습니다.

나의 고생만큼은 대물림하지 않으리라 더욱 내 손으로 지은 쌀과 채소와 과일로 자식을 먹이고 남이 뭐라고 하던 비료, 농약 적게 넣고 퇴비 많이 주어 튼튼히 키운 우리 월출 농산물을 친척들에게 보내고 남에게도 공급한다는 긍지와 보람으로 WTO가 어떻고 IMF가 와도 그저 열심히 일하고 성실히 살면 하늘이 돌보아 주지 않겠느냐는 순박한 소망으로 오늘도 농촌을 지킵니다.

그러나 오늘의 농촌은 이런 작은 소망은 한낱 꿈이련지 급변하는 세계무역환경과 그에 따른 농촌정책으로 인해 최소한의 생산비마저 건지기 어려운 실정이 되었고 결과가 보장되지 않은 씨앗을 뿌리면서 희망을 기대하기가 어렵게 되었습니다. 더욱 농업 경시 풍조가 곳곳에 나타나고 있는 것은 어찌 된 일일까요? 일부 정부 부처는 물론 언론들까지 이런 망발을 서슴없이 하여 농민들의 사기를 떨어뜨리고 있습니다. 농업은 전체인구의 4%이며 현 농업정책에 대신할 국익을 신장시킬 경제정책의 대안을 농민들이 내놓으라는 것 등이 그것입니다. 물론 모든 가치를 비교우위론의 측면에서 보면 이러한 이론이 타당성이 있다고 여길 수도 있겠지만 농촌을 단순한 경제원칙에 빗대어 그 가치를 환산한다는 것은 눈앞의 이익에 눈먼 자들의 망발일 뿐이며 농촌은 식량을 생산하는 것으로만 평가하기 때문일 것입니다.

　그러나 농촌은 여러 가지 다각적인 가치와 다원적인 기능이 있음을 다들 부인하지는 않을 것입니다. 생태계와 환경의 보전. 문화의 계승과 발전. 국토의 효율적 이용. 노령사회로 접어드는 노령인구의 생산 기반 확충 등 그 가치는 금전적 가치로 환산하기 어려울 것입니다. 우리는 더 적극적으로 이런 가치와 기능을 보존하고 육성하여야 할 것입니다. 우리의 농촌은 그래도 먹을거리를 마련한다는 가장 기초적이고 중요한 더욱 생명과 건강을 담당하고 책임지는 숭고한 임무를 부여받았다는 막중한 소명 의식으로 열심히 묵묵히 생명 산업에 땀을 흘리고 있습니다.
　풀밭에는 메뚜기가 뛰놀고 여치가 우는 우리의 낭주골 시원한 물에 등목하고 느티나무 아래서 넓은 들녘을 바라보며 희망을 꿈꾸어 갈 농촌을 살립시다. 지금 우리가 지키지 않으면 영영 사라져 버릴 우리의 고향 영암을!

-2004. 5. 18-

※ 농촌 사랑 봉사단

농업인에게 희망과 활기를 심어주기 위해 농협중앙회 영암군 지부에서 '농촌 사랑 자원 봉사단'을 조직하였는데 마을 및 면 부녀회장으로 다양한 봉사 활동을 하는 모습을 눈여겨본 농협 영암군지부에서 나에게 농촌 사랑 봉사단장으로 협조해 달라고 요청하므로 이제껏 얻은 노하우와 경험을 살려 단장의 임무를 맡기로 하였다.

농촌 사랑 봉사단에 이천만 원의 큰 사업비가 책정되어 있기 에 운영에 따른 큰 어려움은 없었다. 우선 면 새마을 부녀회장을 하면서 맺어진 각 읍면 인적 자원으로 40여 명의 회원을 구축하 였으며 삼호읍에 있는 삼호 현대 중공업의 봉사단체와 연계하여 폭설로 무너진 집 고쳐주기, 군내 영아원, 노인 복지 시설 방문, 폐비닐 수거, 소년 소녀 가장 돕기, 우리 지역농산물 팔아주기 등 다양한 활동을 전개하였다. 내 이웃을 돌보는 일은 곧 나를 돌보는 일이라 여기며 봉사자가 지녀야 할 자부심으로 소외계층 과 따뜻한 정을 나눔이 큰 보람이었다.

- 121 -

※ 미암농협 여성 이사

　지역농협에는 의결기관인 이사회가 있다. 미암농협 이사회는 조합장과 이사 6명 감사 2명으로 구성되어 있는데 이사와 감사는 조합원들이 선출한 대의원회의에서 투표에 의해 선정된다. 나에게 주변에서 우리 농협은 아직 여성이 이사에 선출된 적이 없으므로 출마해 보라고 권유한다. 돈을 쓰지 않으면 안 되는 풍토에 더욱 여성이 이사에 나온다는 것은 무리였으나 남성 위주의 우리 사회가 변화해야 한다는 마음으로 도전해 보기로 하였다. 나름대로 선거에 임하기 전에 원칙을 정했다. 금권선거를 하지 않겠다는 것과 상대를 비방하지 않겠다는 것이다.

　투표를 하는 날 입후보자들이 정견 발표를 하게 되므로 사전에 원고를 세밀히 검토한 후에 여성으로서의 사회와 농협에 해야 할 역할, 내가 출마하게 된 동기를 원고를 보지 않고 발표하다 보니 분위기가 숙연해지면서 나에게 빨려 들어옴을 느낄 수 있었다. 열여섯 명의 입후보자의 발표를 들은 대의원들은 나에게 최고 득표로 당선의 기쁨을 안겨주었다. 대의원 1인에게 이사 정원수 6명까지 투표를 할 수 있기에 봉투를 돌리지 않는 나에게도 함께 표를 주어 내가 미암농협 최초의 여성 이사로 당선된 것이다.

　당선된 이후에 우리 부부는 농협 대의원이신 남편의 일 년 선배분을 음식점에서 만나게 되었다. 남편이 그분께 깍듯이 머리 숙여 인사하면서 '형님 제가 좀 더 모시지 못해 죄송합니다. 앞으로 잘하겠습니다.'라고 인사를 한다. 남편은 이번 선거에서 나에게 표를 주지 않은 것으로 여긴 그 선배님께 섭섭한 마음보다 오히려 더 따뜻하게 대하므로 그 선배는 내가 당선될 것으로 믿고 자기는 다른 사람에게 표를 주었다고 미안하다고 한다. 그러더니 그 이튿날 자신이 키우고 있던 흑돼지를 잡아 한 다리를 우리 집으로 보내왔다. 표를 주지 않음을 외면하기보다 사랑으로 대하므로 그 이후로 그분과 우리의 관계가 더 가깝게 되었다.

이사의 임기는 4년으로 매월 이사회를 개최하여 농협 운영 전반에 걸쳐 협의하며 의결하게 된다. 그런데 변수가 생겼다. 타 농협에 근무하던 남편이 퇴직을 앞두고 고향 미암농협으로 발령이 된 것이다. 남편은 집행부의 업무 총괄 책임자이고 나는 집행부를 견제하는 역할을 하는 이사로 상반된 입장에 서게 되므로 곤란한 경우가 발생할 형편에 놓이게 되었다. 애로사항이 있기는 하였으나 각자 맡은 일에 최선으로 서로의 일을 잘 수행할 수 있도록 하자고 하였다.

한번은 농협중앙회에서 우리 농협의 고구마로 중앙회 기증선물을 결정했는데 그 배경에는 남편 친구의 지인이 중앙회에 근무하고 있어 그분의 배려로 우리 농협이 선정되었다며 남편 친구가 남편에게 자신의 고구마를 우선으로 사들여 달라고 미리 요청했었다. 남편은 이런 사항을 나에게 말하지 않았기에 내가 모르고 이사회에서 고구마 매입에 따른 협의 과정에서 어느 사람에라도 특혜를 주지 말고 공평하게 마을별로 잘 배분하여 결정하도록 의사진행 발언을 했는데 그 친구분의 고구마가 자기 뜻대로 선정되지 않으므로 우리 부부를 두고두고 원망하는 것이다.

남편의 사사로운 정에 얽매이지 않는 성품이 옳다고 여겨졌으나 우리 부부에게는 원망을 듣는 계기가 되었고 훗날 남편이 조합장에 출마하였을 때 그 친구의 외면을 바라만 보아야 했다. 지금 생각해 보면 그 친구가 매우 서운했겠다 싶기도 하다. 어느 경우나 원칙을 따라 정당하게 일 처리를 하여야 하겠으나 때로는 신축성 있는 마음으로 결정하여 크게 등을 지는 일이 없어야 함을 깨달았다.

2007년 6월 안성교육원에서 임원교육이 19일부터 3일간 있었는데 200명의 참석자 중 여성 이사가 나 포함 3명이었다. 포항에서 오신 65세쯤 되는 여성 이사와 함께 숙식하였는데 도시농협과의 차이는 실감이 났다. 6반으로 구성하는데 분임 토의를 거쳐 나에게 반장을 하라고 한다. 반원 중에 대구 구미에서도 오신 분이 있어 대화하는 중 이름이 최경동이라는 분인데 장경동 목사의 이름인 경동이라는 이름과 최 씨는 남편 최 씨고 구미는 아들 공사 동기인 여자친구가 구미여서 더욱 반갑다고 했더니 그분이 아들이 공군사관학교 출신이라는 말을 듣고 그러면 혹시 여자친구 성씨가 송 씨가 아니냐고 반문을 한다. 그렇다고 그러니까 아들 여자친구의 아버지 친구가 이곳 교육원에 같이 왔다면서 소개를 해주겠다는 것이다. 아마 그곳에서는 여자가 공군사관학교 간 경우가 드물어서 소문이 나 알고 있는 것 같았다. 너무나 뜻밖의 사람들을 만난 것이다. 저녁에 함께 놀이하면서 이럴 줄 알았으면 품위유지에 좀 신경을 써야 했는데 라고 말을 하니 담임 교수께서 이 정도면 품위유지가 충분하고도 넘칩니다. 라고 말한다. 수료식 날 200여 명의 이사 대표로 수료 수감을 발표했는데 미래 며느리의 고향 분들 앞에 부끄러움이 되지 않았는지 모르겠다. 언제 어떤 인연으로 사람을 만날지 모르니 항상 좋은 말씨로 상대를 대해야 함을 새삼 느꼈다.

13. 직장 이야기

❋ 손으로 말해요

동아보건대학교(전 동아인재대학)에서 함께 공부했던 만덕 후
배가 삼호읍에 있는 '목포농아원'의 장애인 시설에서 사회복지사
로 근무할 것을 추천했다. 목포농아원은 청각 언어장애 60여 명
을 돌보는 곳이다. 면사무소에 이어 소중한 새로운 직장으로 자
리를 옮기게 되었다. 격일제 근무이기에 사회생활과 더불어 할
수 있어 여건이 좋았다. 아들만 둘인 나는 이곳에 있는 생활 재
활 교사로 지체 장애우와 생활하다 보니 정이 흠뻑 들어 자식과
어머니의 사이가 되었다.

희망에 부풀어 열심히 근무한 지 2주가 지나 아이들끼리 문을
여닫으며 장난을 치다 '종미'가 문틈에 손가락이 끼어 마지막 마
디가 끊어지는 큰 사고가 났다. 너무나 놀라고 황망하여 눈물이
앞을 가리고 아이를 지키지 못했다는 자책감으로 괴로웠다. 얼른
간호사에게 연락하고 혹 접합이 가능하려나 손가락을 찾아보니
소금에 절인 배추 조각처럼 바닥에 나뒹굴고 있는 마디를 들고
목포에 있는 병원으로 달려갔으나 뼈가 함께 절단되지 않고 살
만 떨어진 손가락 마디를 붙일 수 없다는 절망적인 의사의 말이
었다. 다행히 종미는 잘 회복하고 여전히 착하게 잘 따라 주었으
나 항상 미안한 마음이었다.
장애인 아이들은 유난히 정이 많아 교사들도 잘 따르지만, 자
기네들끼리 서로 좋아하는 사이가 되어 헌신적으로 서로를 돌보
는 것을 보며 우리는 누구나 사랑받기를 원하지만, 사랑하는 상
대를 찾아 정을 주고픈 욕구가 있다는 것을 깨닫게 되었다

신앙인으로 농아원 근무함에 큰 어려움은 주일을 지킬 수 없는 격일제 근무였다. 당시 주변의 행복한 교회 목사님 부부가 일주일에 한 번씩 호떡과 솜사탕을 만들어 아이들에게 선물하였다. 아이들과 목사님 부부가 친숙해지므로 자연스럽게 찬양과 율동이 이어졌고 1년 뒤에는 원장님께서 아이들이 교회에 출석하는 것을 허락하므로 아이들을 인솔하고 교회에 출석하게 되어 함께 예배드릴 수 있게 된 것이다.

이처럼 정성을 다하여 장애 어린아이들을 돌보고 있을 때 이사장 겸 농아원 원장님이 결격사유가 드러나 원장을 할 수 없는 형편에 이르렀다. 나는 면사무소 민원실에 근무했던 경력이 있기에 이 부분에 대해 승소할 가능성이 있음을 원장님께 조언하였다. 이에 원장님은 고맙다며 나에게 원장 자리를 제의하였으나 위에 국장과 과장이 있기에 극구 사양을 하였다. 그런데 나중에 국장이 결격사유가 있어 나올 수 없었으며 외부 응시자는 2명이 있는데 내부에서 과장이 혼자 등록하기가 그렇다면서 갑자기 같이 접수하자고 종용하여 나는 들러리 하는 마음으로 그냥 접수하게 되었는데 여러 가지 뜻밖의 상황들이 전개되어 이사회 협의 과정과 목포시청의 승인 과정에서 나를 적임자로 선임하게 된 것이다. 하나님께서 타이밍에 맞춰 응시하게 하시고 원장에 취임하게 하신 것이다.

남편이 축하의 기도문을 보내왔다.

원장 취임을 축하하면서

만유의 주 하나님. 보잘것없고 부족한 제 아내 삶의 무대를 넓혀 더 크게 주님께서 사용하시고자 함에 감사드립니다.
아내는 할 수 없습니다. 오직 능력 주시는 주님 안에서 할 수 있으리라 믿습니다.

주님 항상 동행하시어 주님의 능력 더하여 주시고 지켜주시옵소서.
어려움이 있을 때마다 인내와 여유를 가지고 눈과 마음을 주님을 향해 바라보며 말씀에 귀 기울이며 기도로 무장하여 믿음과 순종으로 담대히 이겨나가게 하옵소서.
힘들어 지쳐 있을 때 모세에게 능력의 지팡이를 주시어 홍해를 건너게 하시며 불기둥과 구름 기둥으로 인도하시듯이 해결 방안을 주시고 필요함을 가득 채워 주시옵소서.

목포농아원이 예수님을 보이는 실천의 도장이 되게 하옵소서.
모든 일을 원망과 시비가 없게 환경을 지배하고 헌신, 희생과 사랑으로 신기한 창조를 계속 만들어가며 은혜와 감동이 넘치는 복 받는 일터가 되게 하옵소서.

머리로 운영하기보다 가슴으로, 열 마디 말보다 한마디의 행함을 보여주게 하옵소서.
믿음에 덕을, 덕에 지식을, 지식에 절제를, 절제에 인내를, 인내에 형제 우애를, 형제 우애에 사랑으로 하나님의 기쁘신 뜻을 펼쳐나가게 하옵소서.

해맑은 어린 천사와 손발의 대화 속에 피어나는 웃음꽃으로 섬김과 나눔, 겸손과 온유로 그들의 발을 씻는 신실한 엄마 되어 함께 기뻐하고 즐거워하며 천국의 행복을 누리는 삶 살아가게 하옵소서.

원장의 역할은 무엇보다 더 아이들의 의식주 개선이었다. 간식으로 나오는 초코파이로는 부족하므로 떡집과 파리바게뜨를 방문하여 당일 판매하고 남은 빵과 떡을 공급받아 풍성한 간식을 먹을 수 있도록 조치하였으며 사랑을 나누고 싶은 주위 사람들께 후원을 부탁하여 짝이 맞지 않은 양말을 없애고 학습 도구, 옷가지 등의 질을 높여 먹이고 입히도록 하였다

때마침 남편이 삼호농협으로 인사이동 되어 삼호농협 감사이며 삼호읍에서는 규모가 큰 벧엘교회 장로와 대화를 나누던 중 벧엘교회가 주일학교 활성화를 위해 주일 학생 50명을 놓고 기도하고 있다는 소식을 접하고 연결해 주므로 그곳 교회에서 농아원생들을 위해 차량까지 제공하며 지대한 관심을 보여주었다. 그 밖에 남편의 징검다리 역할로 농협을 비롯한 각 기관사회 단체로부터 많은 도움을 받게 됨은 모두가 하나님의 은혜였다.

그 이후 전 원장이 행정소송을 하여 승소하므로 나는 미련 없이 임기가 보장된 원장직을 내려놓고 이사장께서 원장까지 겸임하도록 권유하였다. 그런데 변수가 생긴 것이다. 평소에 전 원장과 갈등 관계에 있던 노조원들이 이사장이 다시 원장이 되면 자신들이 불리하기에 직접적으로 이사장께 불만을 표하지 못하고 나에게 자신들이 받아야 할 시간외근무수당 등 급여를 온전히 받지 못하였다면서 고소하겠다는 것이다.

이 일 이후 노조 위원장은 지속해서 다시 재임된 원장에게 처우개선을 요구하며 노동청에 제소하는 등 집행부를 힘들게 했으며 더불어 남자 교사와 시설에 있는 여자 생활인이 서로 사랑을 나누다 미성년 추행으로 징계가 이루어지는 등 돌발적인 사고가 연이어 발생하므로 결국 이사장은 노조의 성화에 못 이겨 농아원 문을 닫아 버렸다.

자식처럼 돌보던 아이들이 다른 시설에 옮겨가게 되므로 뿔뿔이 흩어지게 되었으며 나를 비롯한 직원들도 하루아침에 직장을 잃는 아픔을 겪어야 했다. 빈대 잡으려다 초가삼간 집을 태워버린다는 말처럼 노조원들의 횡포는 결국 농아원 문을 닫게 했고 그들 역시 직장을 잃고 오갈 때 없는 신세가 되어버린 것이다. 그때 어린 농아원생들 중에 지금까지 나와 연락을 하고 있는데 지금은 결혼하여 자녀들을 낳아 기르고 단란한 가정을 꾸려가고 있으며 직장생활도 하며 잘 지내고 있다. 나를 엄마라 부르며 기쁜 일이 있을 때는 물론 어렵고 힘든 일이 있을 때마다 나에게 전화를 하여 상담을 한다. 내가 딸을 셋이나 얻었으니 농아원 근무의 가장 큰 수확인 셈이다.

　　장애우들과의 나들이 내용을 담은 기고문이다.

행복한 동행

　　전남 열 개 지역 장애인 시설 장애우와 자원봉사자, 후원 기관 임직원, 등 150여 명이 1박 2일의 일정으로 지리산 노고단까지의 산행 행사가 있었습니다. 높은 산과 깊은 골을 따라 맑은 물소리와 이름 모를 산새들의 지저귐을 행진곡 삼아 들꽃들의 향내를 좇아 오르고 또 오르던 길에 끌어 주고 밀어주던 맞잡은 손길마다 따스한 정이 흘렀습니다. 우리의 막내 인애의 발걸음이 점점 무거워집니다. 달래고 잡아 주고 끌어 주어 보지만 앞사람과의 사이가 멀어지기만 합니다. 앞서가던 대열이 우리를 기다리느라 멈추어 서기를 반복하네요. 겨우 떼어놓던 걸음을 멈추고 자리에 앉아 떼를 쓰는군요. 땀이 흘러 등이 젖은 건 진작부터랍니다. "어떻게 할까요?" 친절한 119소방대원 아저씨께서 차로 안내할 것을 묻네요. 정말 그러고도 싶었어요. 힘이 드는 것은 참을 수 있다지만 모든 이들에게 방해가 되지나 않나 조바심이 나지 뭐에요 그래도 그럴 수는 없었지요.

보호관찰소 자원봉사자 두 분이 양손을 잡아 주고 뒤에서 한 사람이 등을 밀어주어 다시 걷기 시작했어요. 그렇게 걷기를 한 시간여 드디어 정상이 보이네요. 바람이 얼마나 시원한지요. 우리 모두를 환영하는지 산 너머로 무지개도 피어올랐어요. 다들 환호하고 만세를 부르는 감격의 순간 자원봉사자 아저씨의 눈시울이 붉어지네요. "오늘 행사에는 의무적으로 참여하였지만, 앞으로는 한 번이라도 이런 봉사 활동을 자진해서 해보고 헌혈이라도 할 기회가 있으면 꼭 하렵니다." 모두를 힘들게 했던 인애가 아저씨 생각에 전환점의 계기가 되었다니 그저 마음이 흐뭇하고 따뜻해지기만 하네요.

인애의 얼굴에도 환한 웃음이 활짝 피었어요. 꿈같이 그리기만 하던 산행을 하게 되어 너무나 기뻤습니다. 더욱 각별한 보살핌과 다양한 프로그램을 곁들여 장애우들에게 꿈과 희망을 듬뿍 안겨주었기에 벅찬 감동과 우리도 할 수 있다는 자신감을 가질 수 있었습니다. 들것에 휠체어에 불편한 팔과 다리이지만 오르고 싶다는 바램 하나로 모두가 함께 한 걸음 한 걸음 마지막 정상까지 오른 감격은 이루 말할 수 없습니다. 정상을 정복했다는 기쁨만이 아니라 자신을 극복했다는…. 이웃의 사랑을 확인했다는…… 무엇인가를 해낼 수 있다는 자신의 새로운 모습을 발견하는 귀중한 기회가 되었습니다.

- 목포 농아원생들과 삼호농협 방문 -

※ 폭력 아웃

　농아원 퇴직 후 1년이 지났는데 후배가 전남여성플라자 내 여성 긴급전화 1366에서 직원 모집이 있다며 서류를 내 볼 것을 권유했다. 전에 가정폭력, 성폭력 상담사 자격증을 취득하여 영암 성폭력 상담소와 목포농아원 근무 경력의 유리한 조건 아래 응시하므로 합격하여 근무하게 되었다. 이곳은 삼 교대 근무로 사회활동을 할 수 있는 좋은 조건이 되었다.

　성폭력, 가정폭력 상담은 물론 각종 지역 행사에 참여하여 가정폭력, 성폭력 등의 캠페인, 예방 활동을 전개하였으며 경찰서에서 폭력에 시달린 여성들을 이곳으로 데려오므로 이들의 일시적인 쉼터가 되도록 하였다. 남편의 폭력으로 어린아이들을 데리고 임시피난처인 우리 기관에 들어오는 사람들이 많았으며, 집 나간 아내를 찾다가 우리 기관에 있다는 말을 듣고 찾아와 아내를 내놓으라며 흉기를 휘두르는 일까지 발생하므로 립스틱 모양을 한 가스 분사기들을 비치해 놓기도 하였다

　특히 다문화 가정이 많은 농촌 지역으로 언어소통, 문화와 가치관의 차이 등으로 어렵게 시작한 다문화 가정들이 폭력에 내몰리는 경우가 많았다. 그런데 부부 중 남편이 크게 피해를 본 일도 있었다. 어느 남성은 베트남 여성과 결혼하여 베트남에 있는 처가에 많은 도움을 주었는데도 그의 아내가 결혼 생활에 불만을 품고 이혼하기 위해 남편에게 폭력을 사용하도록 유도하여 이혼할 구실을 찾는 것이다.

　한번은 내가 거주하는 지역 아는 분이 폭력피해자로 상담차 인솔됐는데 미리 연락을 받아 지인임을 확인하고 다른 상담원을 배치하여 조금이라도 마음에 부담 없이 도움을 받도록 배려하며

자존심이 상하지 않도록 이에 따른 비밀은 철저히 지켜주었다. 폭력피해자들을 돕기 위해 경찰과의 연계는 필수적이었으며 매년 주기적으로 경찰서 지구대를 방문하여 상담 관련 협조 사항을 교육하며 타 기관과의 업무협조가 이루어지도록 만전을 기하였다. 직장 특성상 직원들과 숙식을 함께하며 연대감을 형성 서로 의지하며 가정폭력에 시달리는 여성을 도우므로 그들의 가정이 회복되어가는 것을 보는 것은 우리에게 큰 기쁨이 되었다.

서울 양성평등교육원에서 실시한 '성폭력 강사'에 도전하여 합격한 후 신안군 어느 섬 지역에서 교육 요청이 있어 내가 첫 강의를 하게 되었다. 섬으로 가는 도중 내려야 할 선착장을 잘못 알고 다른 곳에 내려 이미 교육 시간이 정해져 동원된 인원들이 기다리고 있을 텐데 큰 낭패를 당할 위기에 있었다. 해당 담당 교사에게 연락을 드리고 선착장에서 표를 팔던 분께 문의하니 개인 소유의 배가 있다면서 선주의 전화번호를 건네주었다. 즉시 전화하여 쌩쌩 배를 타고 그곳 섬까지 갈 수 있었다. 출장비 수령액보다 뱃삯이 더 많이 들었으나 다행히 시간 내에 도착하여 강의할 수 있음이 다행이었다.

(1366 정년 퇴임)

가정폭력상담소 1366에 근무하는 동안 여성 권익과 가정의 평화를 지키려 열심히 맡은 일을 했다고 자부하며 한편으로 아쉬움이 남는다. 정년에 이르기까지 가족처럼 지냈던 동료 직원들,

어려움 속에 1366을 통해 가정의 아픔을 극복해 나간 자들의 얼굴이 주마등처럼 스쳐 간다. 1366은 실로 배움의 터전이자 나를 실현하는 좋은 일터였다.

1366 퇴임사

조그마한 어린 학생일 때 나는 언제나 커서 중학생이 될까 또 언제 멋진 숙녀가 될까 언제나 결혼하나 이후 아들을 낳은 후에는 다른 아이들처럼 언제 혀짧은 소리로 말을 할까. 학교는 언제 갈까 군대 갔다 휴가 나온 다른 사람 아들을 보며 언제 이런 일이 있을까 했지요. 언제 결혼하여 아이들을 낳고 예쁜 손자들의 재롱을 볼까? 이 모든 일이 순식간에 다 이루어지고 지나갔습니다

이제 공식적인 사회로부터의 책무와 권리가 끝나 말 그대로 자연인이 되었습니다. 정년이라는 이 시점에서 그렇게 치열하게 살아야 했던지 돌아보게 됩니다. 폭력으로부터 삶의 의욕을 잃은 모든 이들의 이웃으로 일할 수 있어 감사했습니다. 때로는 갈등하고 힘들었던 시간마저도 이제 그립기만 합니다

1366은 나를 성장시키는 좋은 토양이었습니다. 크게 무엇을 이루었다는 것이 아니라 많은 교육과 상담을 통한 자신의 성찰과 직면을 가질 기회가 되었습니다. 사람들을 만나면 저는 이렇게 말합니다 '대가 받고 좋은 일을 할 수 있는 직장이 그리 많지 않습니다' 라고요

센터장님을 비롯한 여러분을 만나 서로 부대끼며 지낸 시간이 모두 소중하며 나에게는 큰 축복이었습니다. 때로는 나의 잘못된 태도와 말로 인한 결례가 있었음에도 사랑과 배려로 감싸주심에 무한 감사드리며, 저의 부족했던 부분 용서를 구합니다.

저는 오늘 퇴임과 함께 또 새로운 길을 가고자 합니다. 일이 끝나는 순간이 이렇게 도둑같이 다가왔고 세상을 하직하는 때가 또 이렇게 이를 것입니다. 그때는 내 인생을 수정할 기회가 없음을 알기에 더 귀하게 여기며 살려고 합니다

새로운 출발을 함께해주시는 여러분 모두 감사합니다. 잊을 수 없을 것입니다. 잊을 수 없어 날마다 여러분들의 이름을 불러보겠습니다. 행운과 건강과 안녕과 또 영원의 복을 위해 기도로 올리려 합니다. 제가 드릴 수 있는 사랑은 이것뿐 여러분 사랑합니다. 감사합니다.

- 2016. 6 -

1366 활동

14. 신앙의 여정

❋ '번영로'에서

남편과 함께 개척교회를 섬기게 되면서 희로애락이 무척 많았다. 몇 번씩 권하고 전도하여 한 사람이라도 교회에 나오게 되었을 때 기쁨과 함께 거룩한 부담을 느끼게 된다. 잘 믿음으로 성장시켜 끝까지 승리하는 성도가 되게 하려고 교회 출석은 물론 주위 사람들과 여가활동, 식사 등 함께 하는 시간이 많을수록 서로를 알아가고 친밀감이 있었지만, 상대의 자유로운 시간을 방해하고 너무 밀접해 필요한 여백의 시간을 가질 수 없는 애로사항도 있었다.

스스로 교회를 찾아와 성도가 되는 예도 있었는데 이층계단을 올라와 예배 시간에 방문한 칠순의 여자 성도는 천군만마를 얻은 듯 반가웠다. 이후 잘 적응하여 집사 직분까지 받았으나 사소한 오해로 인해 예배에 참석하지 않게 되었다. 우리는 최선을 다해 신앙생활뿐 아니라 문해 학교에 입학할 수 있도록 기관과 선생님께 연결하고 텔레비전 프로그램 "동행"의 작가를 통해 본인뿐 아니라 홀로 키우는 손자에게 도움이 될 수 있도록 주선하였으나 자신의 처지가 외부에 알려지는 것이 꺼려 도움을 거절하였다. 아무리 우리가 생각하는 좋은 일이라도 본인이 마음을 열지 않고 받아들이지 않으면 소용이 없다는 중요한 교훈을 얻고 아픈 마음을 정리하였다.

다음의 글은 그리스도의 교회 '참빛'지에 소개된 번영로 그리스도의 교회에 대한 기고문 내용이다.

번영로 교회 이야기

건강한 신앙 공동체를 이루어 갈 수 있도록 은혜를 베풀어주신 하나님께 먼저 감사와 영광을 드린다. 그리고 오늘이 있기까지 온갖 어려움 속에서도 좌절하지 않고 수고와 헌신을 아끼지 않으신 교우들과 그리스도의 교회 교역자 여러분께 감사드린다. 어찌 보면 지금 20여 명도 되지 못한 성도 수는 세상의 눈으로 바라보면 초라하기 그지없다. 그렇지만 어린아이가 넘어져 다치고 아픈 가운데 성장하듯이 우리의 교회도 이와 같은 아픔과 고난을 통해 균형을 잡아가며 성숙 되어가는 과정이라 본다.

1. 개척 동기

육해공군 삼군사령 본부가 있는 계룡시는 우리나라에서 교회 밀집도가 2위이면서도 무당, 신굿 하는 곳이 많이 몰려 있다. 그러한 이곳에 하나님께서 번영로 그리스도의 교회를 세우셨다. 2015년 말 계룡시에 있는 어느 교회가 문을 닫게 되므로 뿔뿔이 흩어지게 되었고 일부 성도들이 기도 모임을 하면서 새로운 교회를 세우기로 의견을 모았다. 그리고 초대교회의 명칭이 지역명을 따랐듯이 '계룡시 엄사면 번영로 61'의 지명에 따라 '번영로 교회'로 정하고 현재의 건물 2층에서 2016년 2월 28일 첫 예배를 드렸다. 아무래도 목회자가 필요하여 기도하는 중 당진 산돌 그리스도의 교회 출신이신 조수행 형제가 고향에 조문 가서 그리스도의 교회 박영순 전도자를 만남이 인연이 되어 강서대학교 신학대학원을 졸업한 최규용 형제를 소개받아 함께 설립 준비를 하였다.

2. 설립 목적

계룡시에 수많은 교회가 있으나 하나님은 이곳에 특별하게 새로운 교회를 세우셨다. '진리의 기둥과 터, 사랑과 섬김의 공동체, 아름다운 동행'

의 표어를 내세우고 성경대로의 말씀을 이루어 가는 교회, 교회에 오면 마음이 편하고 힘을 얻는 행복한 교회를 세우고자 하였다. 현실은 내가 원하는 쉽고 편한 교회, 십자가 탑 높이를 자랑하는 상업화되어버린 교회로 길들어가지만, 우리는 작을지라도 희망과 행복의 요람이 되는 초대교회의 모습을 재현시키고자 했다. 대부분의 개척교회는 예배당을 크게 신축해 교회가 부흥되는 모습을 보이려 하나 우리의 목표는 예배당이 아닌 오직 하나님 나라의 의를 이루어 가는데 초점을 두고자 했다.

3. 개척과정

교회 설립 후 얼마 되지 않아 그리스도의 교회 교리에 대한 정체성, 성도들 간의 의견 차이로 다섯 분의 성도들이 떠나는 아픔을 겪게 되었다. 이처럼 이탈한 성도들이 발생하자 힘들어하던 교회 사모께서 2017년 1월 2일 과다

뇌출혈로 의식을 잃고 사경을 헤매게 되었다. 절망의 상태에서 모든 성도가 눈물로 기도하므로 후유증 없이 4개월 만에 퇴원하는 놀라운 기적이 일어났다.

교회 개척의 소식을 듣고 천안 명문 그리스도의 교회 임종원 목사께서 강대상을 후원하셨으며, 서울 신성교회 여선교회에서 3년간 매월 선교비로 힘을 더해 주는 등 여러분께서 도움을 주어 경제적인 큰 어려움 없이 교회를 세워 나가고 있다.

4. 섬기는 형제들

목회 경험이 없는 최규용 전도자께 도움이 되도록 하나님께서는 47년간의 목회 후 퇴임하신 김대호 목사 부부를 동역자로 보내 주셨다. 김문하 장로는 교도직 공무원으로 전국을 다니며 믿음 생활을 하다가 아내 천영분 권사와 그리스도의 교회 환원 운동을 새롭게 인식한 후 침례로 세

례를 다시 받고 기쁨으로 섬기고 있다. 조수행 장로는 예배 처소를 무상 임대하였으며 자신의 차량을 교회 차량처럼 헌신하는 착하고 충성된 종으로서 아낌없이 사명을 잘 감당해 나가신다. 또한 박경희(피아노 반주) 자매는 성도들의 손과 발이 되어 교회의 필요를 충족시킨다. 대전에 거주한 김영채 집사는 장로 집안의 며느리에게 교회를 섬기라는 말만은 절대 하지 말라 당부할 정도로 기독교를 배척했는데 이제 그의 아내와 함께 교회 점심을 기쁨으로 제공하며 정성을 다해 섬기고 있다. 그 외에 순수한 모습으로 천리향처럼 은은한 향기를 풍기는 성도들과 함께 행복한 교회를 이루어 가고 있다.

5. 보람 있었던 부분

계룡시 노인 복지관에서 점심을 제공하는데 우리 교회 성도 다섯 분께서 어르신들의 행복과 건강을 지켜드린다는 자부심으로 매주 자원봉사하

고 있다. 대한 노인회 계룡시 지회에서 실시하는 한아름 봉사단에 참여하여 소외된 홀로 사는 노인들에게 전화상담을 통해 말벗이 되어 그들의 외로움을 해소해 드리고 있다. 또한 계룡시 보건소에서 실시하는 자살 예방 멘토링 사업에도 성도들이 함께 참여하여 시민들의 건강을 살피며 외롭고 쓸쓸한 노인들에게 희망을 심어주고 있다. 그 밖에 다양한 활동을 통해 시민들과 친교를 나누며 직간접적으로 복음을 전하고 있다.

계룡시는 우리나라 중심에 위치하므로 전국에서 쉽게 모일 수 있는 이점이 있기에 우리 교회에서 '한국 사이버 신학대학' 세미나 장소를 제공하므로 우리 교회에서 공부했던 신학생들이 목회자가 되어 '번영로 교회'의 존재감을 나타냈다.

요양원 자원봉사, 포도원의 순자르기, 밤나무 농가의 일손 돕기 등 섬김의 활동은 물론 성도 소유의 500여 평의 텃

밭에서 성도들이 함께 고구마 등 공동 생산하여 이웃과 나누어 먹으며 우리의 먹거리를 자급하고 있다. 인격이 다르고 성품이 다르지만, 그리스도의 사랑 안에서 한마음 한뜻이 되어 모든 물건을 서로 통용하며 각 사람의 필요에 따라 나누는 초대교회를 닮아가는 모습이 우리 번영로 교회의 자랑이다.

필리핀 아름다운 교회(박성수 선교사)에 매월 선교비와 의류를 지원하는 보내는 선교사로서의 역할을 감당하며, 비록 조그만 정성이지만 생활이 어려운 분들께 매월 이웃 사랑의 손길을 보내고 있다. 김성일 전 공군 참모총장의 간증 집회, 금융감독원 찬양 선교팀의 찬양과 간증을 비롯한 매년 다양한 행사를 진행하므로 작은 교회일지라도 우리의 기도에 응답해 주시는 주님의 손길을 체험할 수 있었다.

6. 번영로 교회의 미래 희망

만나는 사람들이 교회는 잘 되어 가느냐고 물었을 때 성도의 수가 얼마나 늘어났느냐의 양적 성장을 말하는 것으로 이해한다. 기복주의, 광신주의, 신비주의가 없는 말씀이 살아있는 참신한 교회, 하나님의 작품이 되는 교회다운 교회를 이루고자 한다. 이 바탕 위에 전도의 열매가 맺어가기를 소망한다.

우리는 정말 열심히 최선을 다하였다고 하나 미흡한 부분이 많다. 예수의 마음을 품은 거룩하고 흠 없는 교회, 이웃을 행복하게 세상의 소망이 되는 교회로 깨어 일어나 새 일을 이루어 가려 한다. 어두움을 밝히는 촛불처럼 빛과 소금의 직분을 잘 감당하므로 교회의 명칭답게 번영하는 '번영로 그리스도의 교회'가 될 수 있도록 여러분의 기도와 성원을 바란다.
- 2022년 11,12월 참빛지 번영로 교회 소개 기고문 중 일부 -

※ 턱수염 할아버지와 6.25 참전 용사

  우리는 노인복지관에서 사회복지 공동모금회 선정 프로그램에 참여하고 수요일은 점심 배식 봉사를 하고 있다. 이런 중에 하루는 복지관 탁구장에 하얀 턱수염을 길고 헐렁한 바지를 입은 할아버지 한 분이 오셨다. 집에만 홀로 계시기에 복지관 직원이 바깥출입을 하시도록 권유하여 탁구장에 오신 것이다. 그런데 말을 붙여 보아도 별 반응이 없으시던 그분을 계룡 보훈 회관에서 주최한 낙동강 유역 전적지 순례 행사장에서 다시 만나게 되었다. 월남 참전 용사이신 그분을 다시 만나므로 정겨운 대화를 나누게 되었고 그분의 마음이 조금씩 열리게 되었다. 이후 노인지회에 개설된 노인대학에 입학하도록 하여 수업을 받도록 하니 표정이 전보다 더 밝아 보이셨다.

  많은 연세에도 불구하고 게이트볼을 유튜브를 통해 배우고 계시므로 칭찬을 드리고 파크골프도 하시도록 여유분 라켓을 드리자 그분은 열정을 가지고 새벽 일찍 일어나 파크골프장에 달려가 연습하신다. 주변에서 우리와 함께 어울리는 모습을 보면서 우리가 섬기는 교회에도 참여할 것을 권유하니 별 거부감 없이 받아드렸다. 한 복지관 회원께서 '장 아버님 요새 너무 많이 달라지고 표정이 그렇게 밝아지고 입이 귀에 걸렸네요' 하니 살며시 미소를 짓는다.
  어느 날 새벽 예배를 드리고 있는데 뜻밖에 그분이 오셔서 놀라워 반갑게 맞이했는데 검은 헝겊 가방에 오만원권을 가득 넣어 오셔서 교회에 헌금으로 드리고 싶다고 하신다. 좀 더 기다리며 생각하시고 헌금을 드려도 괜찮다고 설명하여도 꼭 드리고 싶다고 하여 우선 받아 재정 담당부로 인계하였다. 너무나 많은 헌금이 들어와 기쁘다기보다 어떻게 해야 할까 망설여졌다. 하나님께서 주신 감동으로 교회와 이웃을 위해 드리는 예물인데 받지 않겠노라 돌려 드릴 수는 없는 노릇이다. 그 이후 장로님을 비롯한 재직들과 협의하여 최우선으로 앞으로 그분의 건강과 노후 대책이 필요할 경우 그 금액 이상으로 사용하기로 하였다.

어느 날 장 할아버지께서 지갑과 핸드폰을 분실했는데 습득하신 분으로부터 핸드폰에 적혀진 우리의 전화번호를 보고 연락이 와서 핸드폰을 찾아 장 할아버지 집에 갔는데 계시지 않아 한참을 기다리니 멀리서 터덕터덕 올라오고 계셨다. 우리를 만나니 울상인 모습으로 지갑을 잃어버렸다고 말씀하신다. 핸드폰을 내보이니 너무나 좋아하며 표정이 확 달라지신다. 어떻게 된 거냐고 여쭈어보니 점심을 먹고 돈을 계산하려고 보니 핸드폰이 없어진 걸 알게 되었다고 한다. 찾게 된 경위를 설명하자 매우 반가워하시며 기쁨이 가득하다. 장 할아버지의 핸드폰으로 전화를 했기에 누군지 모르지만, 70여만 원의 거액의 돈이 든 지갑과 핸드폰을 주워 연락해주신 분이 고맙기 그지없다.

하루는 홈플러스로 모시고 가서 바지와 티셔츠 남방을 사드리고 이용원으로 모셔 길게 기른 수염을 정리시켜 드리고자 하니 마음이 허락지 않으신지 일부를 남기셨는데 그 이후 손수 수염을 잘라 너무나 깔끔하고 젊어 보이셨다. 탁구 동호인들이 장 어르신께 10년은 더 젊게 보이신다고 하니 활짝 웃으며 행복해하였다. 장 할아버지께서 우리와 함께 하루하루를 즐겁게 보내시니 참 많은 보람을 느낀다. 더욱 밝고 활기 넘치는 건강한 모습으로 하나님의 영광 드러내는 신실한 신앙인이 되시기를 기도한다.

또한 장 할아버지가 전도하여 우리 교회를 섬기고 계시는 000 어르신 가정을 심방하였는데 백승엽 장군과 함께 찍은 사진이 걸려 있었다. 백승엽 장군은 낙동강 다부동 전투에서 '나라의 운명이 이 전투에 달렸다. 내가 앞장설 테니 나를 따르라. 내가 후퇴하면 나를 쏴도 좋다.'며 목숨 걸고 싸워 구국의 신화를 이루어낸 인물이다.

이처럼 백승엽 장군과 함께 전투에 참여한 6.25의 영웅이며 더욱 월남 참전 용사로 나라와 민족을 위해 몸을 바치신 분이 우리 교회를 섬기고 계심이 실로 자랑스럽다. 6월 호국 보훈의 달을 맞이하여 이응우 계룡시장이 직접 호국 용사 000 성도님 자택을 방문하여 위로해 주셨다. 자녀들이 미국에서 생활하기에 영상통화를 통해 아버지를 보살피고 있는데 홀로 거주하시기에 우리가 도움을 드리려고 하면 조금이라도 신세를 지지 않으려고 하며 오히려 교회에 도움을 주려고 하신다. 너무나도 귀한 어르신이 요즈음 연세로 인하여 건강이 좋지 않아 속히 회복되시길 기도한다.

교회에서 빔프로젝터가 오래되어 대형 TV 화면으로 교체하려는 것을 아시고 어느 분께서 무명으로 특별헌금을 하셔 설치하도록 하셨다. 도움을 드려야 할 분들께 오히려 도움을 받게 되었다. 주님께서 더 큰 복으로 채워 주시리라 믿는다.

15. 사랑하는 가족

※ 남편의 바람

결혼하기 전 남편은 나 외에 펜팔로 인연을 맺어 사귀고 있는 분이 있었는데 그녀는 섬마을 어여쁜 처녀였다. 남편은 결혼 적령기가 넘었으나 형편상 청혼할 겨를이 없었는데 그만 그 여인은 좋은 혼처가 나므로 부모의 성화에 못 이겨 결혼하게 되었다고 한다. 마음속으로는 그 여인과 결혼을 꿈꾸었으나 모든 일을 운명으로 받아들인다며 속마음을 털어놓은 남편을 위로하면서 더욱 가깝게 정을 나누게 되었다.

어느 날 하루 나에게 건축 평면도를 그려 보내면서 자신에게 시집오면 한마당처럼 가까이 있는 교회의 주일학교 교사로 봉사하도록 하고 가계를 정리하여 새로운 집에서 행복한 가정을 꾸려가고 싶다고 하였다. 나를 위해 집을 지어보겠다는 마음이 갸륵하기도 했다. 그러나 결정적인 동기는 남편이 서울에 있는 우리 집을 홀로 찾아와 할아버지께 인사를 드리고 손녀와 결혼하고 싶다고 하니 고향을 떠나와 늘 고향을 그리던 할아버지께서 반 승낙해버린 것이다. 할아버지의 의견을 함부로 할 수 없는 엄격한 우리 집안의 식구들은 할아버지의 의견에 모두 동의하므로 나의 마음이 기울어진 것이다. 반면에 나와의 결혼을 시어머니가 반대하셨다. 내가 시골 태생이기는 하나 일찍 목포에 나가 공부만 했지, 시골 형편을 모르고 유복한 가정에서 자라 남편의 어려운 생활에 적응하기 힘들 것이라는 이유에서다. 결혼 후에는 이 부분이 마음에 걸려서인지 나를 다독여주므로 나와 어머니의 사이에 걸림돌은 되지 않았다
나중에야 알고 보니 남편은 빚을 감당할 수 없어 가계를 비롯

한 모든 부동산을 정리하여 빚을 정산하고 농촌주택자금으로 신축한 새집에서 거주하려 했다는 것이다. 아무튼 새로 신축한 집은 남들에게 내어주고 우리의 거처는 시어머니와 장지문 하나 사이에 두고 숨도 제대로 쉴 수 없는 환경 속에서 시작하게 되었다. 드러난 부채를 갚기 위해 온갖 방법을 다하여 돈벌이에 나서야 했고 실로 땀과 눈물로 밤을 지새워야 했다. 지금도 그때 일을 생각하며 새집 지어 주일학교 교사 일 하라고 하더니 나를 속여 결혼했다고 말하면 자신은 속인 것이 아닌 부채에 대해 말을 하지 않는 것뿐이라고 웃기만 한다.

가계와 더불어 포도 농사를 경작하던 때이다. 하루는 남편이 자신이 사귀다 먼저 결혼했던 섬마을 여성을 데리고 오고 싶다고 하므로 결혼 전부터 남편을 통해 알고 있던 여자분이기에 그러라고 하였다. 그녀는 화사한 모시 위아래 옷에 예쁘게 수놓은 잠자리 날개 같은 옷을 입고 더 원숙하고 단아한 모습으로 우리 집 포도밭에 왔다. 반갑게 맞이하며 포도를 대접하고 한 상자를 가득 채워 버스터미널까지 데려다주었다. 훗날 생각하니 햇빛에 새까맣게 그을고 포도를 따느라 땀범벅이 된 내 모습이 얼마나 초라하게 보였을까 하는 마음이 들었다. 나중에 서랍을 정리하다 보니 그 여인과 주고받았던 편지들을 하나도 없애지 않고 가득 모아둔 것을 보면서 남편의 마음이 이해가 가면서도 한편 내 마음도 서글퍼졌다. 아직도 그 여인을 잊지 못하나 하는 마음에 불안하기도 했다.

하루는 시간을 내어 남편께 드라이브를 가자고 제안했다. 남편의 마음을 설레게 하였던 고등학교 자취집 옆방 여학생의 고향 장흥군 00면의 그 여인의 가족 이름만으로 찾아 나섰다. 그 여인의 오빠를 만나 인사를 나누면서도 그 여인에 대해 차마 소식을 묻지 못하자 내가 '언니는 지금 어디에 살고 계시나요?' 안부를 물으니 서울에 거주하고 있다고 한다. 그분과 헤어져 돌아오면서 남편은 "뭐 하러 여인의 안부를 묻느냐?"고 핀잔을 준다. "사실은 지금 만나고 오는 오빠가 궁금한 것이 아니라 그 언니가 궁금한데 당신이 차마 못 물어보아 내가 여쭈었다"라고 하자 남편은 말이 없다. 다시 우리 집을 방문한 그 섬마을 여인의 거주지를 방문하여 먼발치에서라도 보도록 하고 식당에 들러 맛있는 회와 매운탕을 먹고 집으로 돌아오는 길에 "이제 두 여인의 추억을 정리하세요.라고 말하니 남편은 여전히 말이 없다. 이는 남편에게 하고 싶은 말이기도 하였으나 나 자신에게도 불안과 의혹을 정리하고 싶은 마음이었다.

너무나 바쁘고 힘든 생활로 자잘한 감정을 미처 챙겨볼 겨를도 없이 세월이 지났는데 아직도 첫정의 기억을 다 내려놓지 못했었는지 남편은 그 여인과 대화를 지속하였다. 그런데 그 대화 내용이 나의 꿈에 비치게 되었고 너무나 기이한 현상에 남편은 그동안의 과정을 고백하므로 남편을 신뢰하며 순수한 남편의 사랑을 의심하지 않았다. 남편께 말했다. "이제는 아내 눈을 피해 있다고 생각하지 말고 하나님 앞에 있다고 생각하세요" 이후도 직장에서 여러 번 여인들로 인해 유혹과 흔들림이 있었지만 늘 신앙의 힘으로 이길 수 있도록 지켜주신 하나님께 감사를 드린다.

❋ 장남 시온

첫아들을 낳아 이름 짓기 위해 큰집 시누이의 집안 분이 목포에 유명한 작명가이기에 그곳을 찾아갔다. 아이의 사주를 보면서 20살 이내에 질병으로 큰 어려움이 있게 된다면서 항렬을 따라 '익호'라는 이름을 지어주었다. 하나님을 섬기면서 사주를 본다는 게 양심의 가책을 느낀 나는 남편과 상의하여 차라리 교회와 관련된 이름으로 부르게 하자고 제안하여 '시온'이라는 이름으로 작명하였다. 그러나 시온이가 20살이 넘을 때까지 그때 그 작명가가 했던 말에 불안해했었는데 아무런 사고 없이 지금껏 건강하게 지내고 있으니 하나님의 은혜이다.

아이들이 커 초등학교 5학년이 되면 많은 학부모가 도시 지역으로 전학시켜 중학교를 보낸다. 우리 가정도 누구보다 일찍 도시로 나갈 것으로 많은 사람이 생각했다. 그러나 연세 드신 교회 성도들께서 노인들만 있는 교회를 두고 가면 어떻게 하느냐며 만류하기에 떠나기가 부담스러웠다. 자녀들의 앞길을 위해 어느 목회자와 상담을 했는데 작은 교회를 섬기는 모습을 보고 하나님께서 자녀들의 앞길을 열어주실 것이라고 말씀하셨다. 그 말씀을 믿고 의지하며 떠나지 않고 학원도 없는 열악한 환경의 시골 중학교에서 공부하도록 하였다.

다행스럽게 미암 중학교 노준석 선생님을 비롯한 일부 교사께서 아이들에게 관심을 두고 관사에 거주하시면서 특별 교육해주므로 아이들이 목포고등학교에 입학할 수 있었다. 목포에 거주할 형편이 아니기에 기숙사 생활을 하도록 했는데 하루는 아들이 전화가 와서 "엄마 기숙사에서 나갈 수 있게 해주세요" 하는 것이다. 왜 그러느냐고 하니 적응하기가 어렵고 환경도 안 좋아 있기가 너무 힘이 든다는 것이다. 종일 수업하고 저녁 시간도 열시가 되어야 잠자리에 드는 생활이 힘들었을 것이 이해되었다. 그래도 잘 견디고 조금만 참자고 하자 "엄마가 해봐 엄마가 해보면 그럴 수 없을 거야 "하면서 울먹인다.

너무 마음이 아파 친정어머니께 부탁하여 아이들을 데리고 있어달라며 학교 근처에 방을 구하러 종일 돌아다니고 늦은 시간 학교로 가서 담임선생님을 만났다. 사정을 말씀드리고 아들을 자취방으로 옮기겠다고 하니 깜짝 놀라시며 지금 이 시각 기숙사 외에 있는 학생들은 거의 오락실에 있다고 해도 과언이 아니며 다른 학부모들은 기숙사에 못 넣어 안달인데 꺼내달라고 하느냐며 일단 담임선생님께서 아들을 만나 대화한 후 데려가라고 하신다. 일주일 후 아들이 순순히 기숙사에 남아 공부하겠노라 하니 아들을 설득시켜 주신 담임선생님이 너무나 고마웠다.

시온이는 달리기를 잘했으며 축구를 좋아했다. 목포고등학교 체육대회에서 마지막으로 학급별 릴레이 경주가 있었는데 시온이가 최종 주자가 되었다. 앞에 급우들이 뒤처져 있음에도 배턴을 받은 시온이가 포기하지 않고 최선을 다해 질주하여 격차를 좁혀가며 끝까지 완주하였는데 이 모습을 본 정재학 담임 선생님은 시온이의 근성을 높이 평가하며 더욱 관심을 가졌다고 한다.

아들 시온이 예비고사를 백여 일 앞두고 남편과 나는 날마다 가정예배를 드리며 하나님께 기도했다. 대입 2차 시험 최종합격을 발표하는 날 새벽인데 꿈인지 생시인지 아들이 커다란 목소리로 "엄마 나 합격했어"하는 음성을 듣고 남편께 "오늘 오후가 되면 많은 축하 전화가 올 것이어요"라고 담대히 말했다. 정말 합격의 기쁜 소식이 있었다. 담임선생님의 영향으로 어려운 환경 속에서도 열심히 공부한 아들이 자신이 원하던 대학에 입학할 수 있었던 것은 모두가 아들을 바르게 잘 지도해주신 선생님의 덕분이며 하나님께서 작은 교회를 섬긴 보상을 주신 것으로 여기고 있다. 이후 아들이 직장에 들어간 후 담임선생님을 찾아가 인사를 드렸다고 한다. 군대 갈 무렵에 토익을 준비하여 미군 부대(카투사)에서 군 생활을 하므로 견문을 넓힐 수 있었기에 오늘날 아들은 국제무대에서 활발히 활동하고 있다.

아들이 군 생활 때 보낸 편지 일부이다.

아들 시온에게 보낸 편지

시온아, 매일 기다리던 편지가 오니 집배원 아저씨부터 반가워하는구나. 아들 편지가 왔다고 저 아래서부터 얘기하면서 올라오신다. 좋은 소식을 전하는 아저씨 마음도 흐뭇하신가 봐. 오늘이 네 생일인데 아무것도 해줄 수가 없구나. 그저 아침 일찍 일어나 아빠와 가정예배를 드리면서 너희들의 앞날에 축복을 기원한다. 엄마가 요사이 치료 레크리에이션을 강의받으러 목포에 나가는데 사람이 특히 어린 시절에 잘 논다는 것이 얼마나 중요한 것인지 새로 인식하게 되었다. 하루하루 보람되게 살기도 어렵지만 기쁘게 살아간다는 것도 얼마나 어려운 일인지 엄마는 늘 격조 높은 삶을 추구하고 그런 면에 열심을 많이 내면서도 일상을 아기자기하고 재미있게 가꾸는 것을 소홀히 해 왔지 않았나 싶다. 너희들을 이런 엄마 영향으로 더 자유스럽고 당당하고 유모 스럽게 기르지 못한 것이 못내 아쉽다. 부모 역할 교육도 받는데 진즉 이런 교육이 엄마에게 필요했다는 마음이 많이 든다. 어제는 풍선아트를 했다. 토끼, 물고기, 꽃, 나비 등을 풍선으로 만들어보니 재미있고 이상 모양도 나서 가져다 주일 학생들 주려고 싣고 왔다. 이제 얼마 안 있으면 의정부로 옮기게 된다니 반갑다. 그동안도 건강관리 잘하고 친구들과도 잘 지내고 상사들 말씀에 순종하고 맡은 일에도 보람되게 열심히 해서 좋은 추억 남기기를 바란다. 다시 또 연락할게.

2002. 8. 28 엄마가

사랑하는 시온에게

이젠 제법 쌀쌀한 바람에 창문을 닫는 완연한 가을이구나. 밤나무에 밤이 영글어 매일 아침 그것 줍고 무화과와 감을 따서 가져다 놓고 출근하는 아빠를 보며 가족의 소중함과 사랑으로 뭉쳐진 가족공동체에 늘 감사하는 마음이다. 벼 이삭도 모진 바람과 비를 이기고 풍성한 햇빛을 받아 날마다 알찬 열매를 위해 열심히 준비해서 노랗게 물들어 가는 들녘을 보노라면 가을은 역시 풍성하다고 생각하게 된다. 힘든 유격과 행군 등 훈련은 잘 맞추었는지 궁금하고 훈련 후반기에는 분대장님들도 그동안의 노고에 대해 서로 격려하고 사나이들의 정을 쌓는다는 얘기를 듣고 그래도 마음의 위로로 삼고 잘 끝마치기를 기원한다.

온유는 시월에 있을 시험에 무사히 통과해야 할 텐데 그저 기도하는 마음이구나. 어제 학교 시험이 있었는데 연락이 없어 결과가 궁금할 뿐이다. 어서 수능이 끝나고 진로들이 결정이 났으면 하는 생각뿐이다. 요즘 엄마는 목포에 나가서 부모 역할 훈련이라는 강의를 듣는데 너희들을 어려서 기르면서 이런 훈련을 통해 양육 방법이나 기술 등을 잘 익혀 기르지 못한 것이 몹시 아쉬운 마음이 든다. 좀 더 정성을 들이고 고급감정들을 잘 표현하고 풍성한 감성을 가지게 안내를 잘했어야 했는데…. 한편 생각하면 그래도 엄마 아빠가 열심히 사는 것을 보며 잘 자라준 너희들이 항상 대견하고 자랑스럽다 너무 바쁘다는 구실로 경제활동 하는 데 만 치중해 살아왔지 않았나 싶지만 그런 과정이 없었다면 우리의 행복도 또 한 가지기 어려웠지 않았을까 하는 마음으로 홀로 자위를 해보는구나.

교회 학생들이 쓴 편지는 받아보았는지 엄마도 이 편지 쓰고 다음 편지는 의정부로 해야 할 것 같은데 17일 이전에 들어가야 하니까 아이들이 시온 오빠 면회하러 간다고 하며 '유리'는 오빠와 결혼한다며 기다리고 있단다. 그래도 천진한 아이들의 바람을 들으면 한없이 귀여운 마음이 든다. 아무튼 몸 건강히 잘 지내고 이제 훈련소 생활을 잘 마무리해서 좋은 기억을 남기기를 바라고 친구들과도 잘 지내서 늘 마음이 여유로운 생활하기를 바란다.

　항상 따뜻한 마음과 남을 배려하고 우선 여겨주는 마음을 갖는다면 누구나 그런 마음을 거절할 사람은 없는 것이거든 아무리 좋은 환경을 줘도 내가 행복한 마음을 느끼지 못한다면 그것은 아무 소용없는 것이니까 어려운 중에도 늘 감사하고 넉넉한 마음을 가지기를 바란다. 이제는 미군들과 직접 숙식을 함께하고 모든 생활이 그네들 위주로 이루어지기가 쉬울 텐데 그런 부분을 잘 극복하고 특히 그네들의 사고방식이나 문화적 차이 등을 얼른 이해하고 인정해서 마찰이 없도록 하고 네 마음도 번민이 없도록 하여야 할 것이다. 대화하는데도 조금 부족한 점이 있더라도 솔직히 얘기해서 도움을 청하고 자신감을 가지고 대하고 좋은 인과관계를 잘 맺어 친구들을 많이 사귀어 풍성한 젊은 날을 맘껏 누리기를 바란다. 어제 적어놓은 편지랑 함께 보낸다. 다음에 또 연락할게

2002. 9. 12 엄마

　큰아들의 결혼은 참 은혜롭게 이루어졌다. 부산에 있는 동서그리스도의 교회 이준행 목사님께서 교회 청년들을 데리고 목포에 와서 캠프를 하는 곳에 미암교회 주성수 목사님이 방문하셔서 대화하다가 우리 아들과 부산 동서교회의 자매를 소개하자고

주선하여 이루어졌다. 마침 직장생활 중 휴가로 해남 명사십리에
와 있던 아들에게 연락하여 담임 목사님 주선이니 다녀오라고
하였는데 해수욕으로 옷이 다 젖어 있어 썩 내키지 않는 눈치였
으나 얼른 빨아 드라이로 말려주며 다녀오도록 권유하였다.

이후 며칠이 지났는데 아들이 사진을 보여주며 나의 의견을
묻는다. 만남을 지속하던 아들은 크리스마스 무렵 여자친구를 데
리고 인사를 왔다. "엄마가 좋아할 친구여요" 아들이 여자친구를
소개하는 말이었다 정말 얌전하고 어여쁜 친구로 집안도 교육자
가정이므로 더 마음에 들었다. 목사님들이 인정하신 소개팅이기
에 기쁜 마음으로 받아들였다. 이 지면을 빌어 두 분의 목사님들
께 감사드린다.

믿음의 가정에서 자란 참하고 고운 며느리가 손주를 네 명이
나 낳아 잘 양육하고 현재 우리가 사는 아파트와 차량을 구매해
주는 등 극진히 섬기니 고맙기 그지없다. 아들 가족이 지금은 싱
가포르에 거주하기에 자주 볼 수 없는 아쉬움이 있다.

큰 아들 시온부부와 4명의 손자. 손녀

※ 둘째 온유

온유는 사랑스럽고 애교가 많다. 대입 진로 결정 무렵에 공군 사관 생도들이 학교를 방문하여 공군사관학교 홍보를 하는데 근무조건이 오후가 되면 집으로 퇴근할 수 있다는 말에 끌려 지원하게 되었다. 운동을 좋아하던 온유는 서울대 체육교육학과에도 응시하였는데 두 곳이 시험 날짜가 같아 사관학교를 택하였다.

입교식 날 공군사관학교에 방문하였는데 넓은 교정과 반듯하고 아름다운 정경에 아들이 다닐 학교라 생각하니 너무 뿌듯하였다. 아들은 훈련으로 얼굴은 새까맣게 그을렸고 콧잔등을 다쳐 많이 상처가 나 있다. 훈련 기간에 진짜로 북한이 쳐들어와 전쟁이 일어난 줄 알고 훈련하다 상처가 났다고 한다. 얼마나 놀라고 힘들었을지 안쓰럽기 그지없었다. 입교식에 참석한 부모들을 모시고 훈련과정의 동영상을 보여주었는데 마지막 장면에 아들이 나와 늠름하게 인사하니 너무 가슴이 벅차올랐다.

부모들과 맛있는 음식을 나눈 후 게임을 하게 되었다. 아들이 어머니를 등에 업고 목표 지점에서 풍선을 터뜨리고 반환점을 돌아오는 게임이다. 1등에게는 하루 특별외박을 준다고 하니 욕심이 생겼다. 풍선을 빵빵하게 불어 아들이 안을 때 훌쩍 뛰어올라 빨리 업을 수 있게 하여 반환점에서 얼른 손톱으로 터뜨리고 돌아오니 정말 1등이 되었다. 키가 작은 내가 그때처럼 고마울 수가 없었다. 특별외박을 받아 아들을 데리고 나오니 부러운 것이 없는 마음으로 신나는 하룻밤을 보냈다. 아들은 사관생도답게 반듯하게 잘 자라 불의와 타협하지 않고 자신의 유익만을 좇지 않는 성실함으로 우리의 기쁨이 되었다

아들은 사관학교 시절 만난 생도와 교제하고 있었다. 아들이

좋아하는 사람이기에 우리는 조건 없이 결혼을 허락할 생각이었다. 단 한 가지 마음에 걸리는 것은 종교가 서로 다른 것이었다. 우리는 아들의 여자친구가 아들을 따라 주기를 바랐는데 얼마 후 아들이 긴 편지를 아버지께 보내왔다. 우리의 종교가 중요하듯 여자친구의 종교도 중요하며 친구 부모님 입장도 있어 고민이 되어 잠시 여자친구와 냉각기를 갖고 생각하기로 하였다는 것이다. 아들이 얼마나 고민이 될지 마음이 아팠다. 남편은 아들의 여자친구에게 우리 종교를 좇으라기보다 매사에 아들의 의견을 존중해 주기를 바란다고 하니 며느릿감이 쾌히 아버지 의견에 따르기로 하여 결혼의 방해 조건이 사라져 버렸다

결혼하여 아들딸 둘을 낳아 잘 기르고 우리 부부가 섬기는 교회에 자주 출석하여 신앙을 유지하고 있어 늘 고맙고 사랑스럽다. 며느리는 군인으로서 힘든 과정도 자신의 실력과 열정으로 이겨내고 있어 대견하기 그지없다. 며느리가 유엔군으로 레바논에 1년간 파견근무 하게 되므로 그동안 내가 아이들을 돌보며 정을 쌓는 시간이 허락되어 손자. 손녀들과 함께하는 시간이 행복하였다. 아들이 훈련받을 때 보낸 편지이다.

사랑하는 온유에게
비가 주룩주룩 내리니 겨울비가 반갑지만은 않구나. 네가 군에 들어가고 나니 날씨에 날마다 예민해지고 추우니 더 걱정되는구나. 벌써 일주일을 보내고 그동안 얼마나 수고가 많고 힘이 드는지 그저 평안히 있는 엄마가 미안한 마음이다. 그동안 훈련 열심히 하고 급변한 환경에 잘 적응하는지 궁금하다. 온유는 잘 해내리라 여기면서도 워낙 추울 때라서 더욱 걱정스럽다. 어찌든지 상사 말씀 잘 순종하고 공동생활에 적응해서 남을 위해주고 배려하여 무사히 훈련 기간을 넘기고 대한의 씩씩한 남아로 거듭나기를 간절히 바라는 마음이다. 사람은 고난을 만날 때 속

사람이 강해지고 비로소 자신의 내밀한 부분까지도 눈이 떠져서 더욱더 폭넓고 마음 깊은 인격체로 성숙하게 되는 것이니 좋은 훈련 기간이라 여겨 잘 적응하거라. 건강을 위해 식사도 잘 챙겨 먹고 사회의 기초가 되는 군 생활이라 여기고 좋은 친구가 되도록 먼저 잘 대해주기를 바란다. 엄마 아빠는 잘 있고 건강하니 집안 걱정은 아무것도 할 것이 없다. 단 너희들이 없으니 허전한 마음을 달래느라 자주 산책을 나가고 있다.

저번 네 가입교 때 시험 때문에 가지 못해 내내 마음이 섭섭했는데 며칠 전 발표에서 합격을 확인하고 비로소 잘 치렀다는 생각이 든다. 어제는 도지부에 계시는 주 차장님이 장어를 많이 가져다주셔서 아들들 생각이 더 간절하다 곧 명절인데 엄마·아빠 둘이서 보낼 것을 생각하니 허전한 마음 이루 말할 수 없지만, 너희들이 열심히 훈련을 마치고 만날 날을 기대해본다. 인내는 가장 훌륭한 자기를 이기는 방법이니 어떤 덕망보다 귀중한 덕목이라 여기고 늘 마음에 새겨서 승리하는 온유가 되기를 바라며 다시 연락할 게 잘 있어라.

2003. 1. 27

온유를 사랑하는 엄마가

사랑하는 온유에게

반갑게 네 편지를 받고 얼른 열어보니 힘이 많이 드는 것 같아 마음이 무겁다. 그래도 이 훈련 기간을 자신을 바꾸고 다듬는 기간으로 여기고 꿋꿋이 훈련을 이기는 온유를 떠올리며 장한 아들에게 한없는 칭찬을 보내고 싶다 더 쉽고 안이한 길도 있겠지만 그런 것을 아랑곳하지 않고 스스로 선택하고 각오해서 열심히 자신을 갈고닦아 훌륭한 청년으로 거듭나기 위해 애쓰는 아들이 대견하기 이를 데 없다. 우리에게 가장 기초적인 권리인 자유와 시간이 박탈된 환경에서도 견디어 낼 수 있다는 것이 그런 집단이 아니면 경험할 수 있는 곳이 그리 흔치도 않을 것이다. 오늘의 고단한 일정들이 더욱 성숙하고 온전한 자신으로 다듬어지는 과정이라 여기고 잘 인내하기를 바란다. 힘든 과정이 끝나면 그래도 해냈다는 자부심과 강한 자신감으로 보상이 될 것이며 아름다운 추억으로 간직될 것이다.

내일모레면 구정인데 객지에 너희들이 있어 너무나 허전한 마음이다. 더구나 이 추운 날씨에 훈련을 견디어 낼 아들들이 걱정스럽다. 그러나 늘 엄마 아빠는 기도하는 마음으로 너희들을 위해 매일 열심히 생활하고 있으니 집안 걱정은 하나도 하지 말고 오직 건강을 지키고 훈련에 잘 적응하도록 하여라. 날씨가 고르지 못하여 코는 괜찮은지 훈련에 지장은 없는지 염려스럽다 어려움 당할 때마다 하나님을 찾고 도움을 구하고 기도하기를 바란다. 네가 좋아하는 갈비, 굴비 형이 잘 먹는 홍어(제일 맛있는 흑산 홍어) 등도 있는데 먹을 사람이 없어 냉장고 차지가 되었다. 벌써 2주일이 갔으니 반은 지난 셈이니 조금만 더 참고 잘 이겨내서 생도다운 생도로 멋진 온유 모습을 보여주기를 바란다. 어제는 명절 인사 겸 보미네 현준이네 전화를 드렸는데 할머니들이 네 칭찬을 많이 해서 덩달아 엄마가 기분이 좋았다. 아빠도 편지 보냈다는데 받아보았느냐. 무심한 것 같지만 언제나 너희들을 깊게 사랑하는 아빠인 줄 너희들도 알 것이다. 매일 공사 홈페이지를 들여다보다 훈련생들에게 보내는 주소를 알고 엄마를 가르쳐 주어서 엄마도 편지했단다. 늘 너희들을 향해 기대하고 독려하는 것이 혹 부담이 될 때도 있었겠지만 이런 아빠가 있으므로 우리 가정이 항상 건전하고 발전적인 행복한 가정이 되었다는 것을 너희들도 부인하지는 않을 것이다. 언제나 지지해주고 배려해주는 아빠가 있어 엄마도 늘 마음 든든하게 생각하고 있다.

아빠가 농협중앙회 선정 자랑스러운 직원상을 받게 되어 시상식이 내일 있는데 아침 여덟 시까지 참석해야 하니 할머니 집에 갈 작정이다. 더불어 내일 저녁에는 직원들과 임원들을 모시고 고모 댁에서 음식을 대접할 생각이어서 바빠지게 되었다. 그래도 너희들이 다 자기 몫을 잘해주고 아빠도 평생을 충실한 직장인으로 더욱 이런 상까지 받아 인정받게 되고 엄마도 항상 건강하게 지내니 모든 것이 감사하기만 하다.

엄마는 풍선 자격증에 이어 치료 레크리에이션 자격증이 확정되어 그동안의 수업이 보람이 있고 봄이 되면 다시 좋은 프로그램을 선택해서 교육을 받을까 생각 중이니 아무 염려 말고 네 일에 충실하도록 하여라. 명절에는 떡국이나 주는지 알 수 없지만 어떤 상황에도 불만스럽게 여기지 말고 늘 감사한 마음으로 열심히 하기를 바란다. 다시 연락할게

2003. 1. 30

엄마가 온유에게

16. 들꽃처럼

※ 행복이 넘치는 yes! **계룡 좋쥬**

2003년 출범한 계룡시는 61km²의 면적에 4만7천 명의 인구이다. 계룡이 대전 아래에 있다는 말만 듣고 한 번도 가본 적이 없는 이곳으로 2016년 첫 발걸음을 옮겼다 고향을 떠나 살아갈 수 없으리라 생각했던 우리 부부는 본토 아비 집을 떠나라는 하나님의 뜻을 따라 주택, 전답을 그대로 놔두고 떠난 것이다. '엄사리 번영로 61'이라는 주소가 우리가 사는 곳처럼 한적한 시골로 생각했으나 네비의 안내로 도착한 곳은 많은 사람이 북적거리는 소도시의 중심가였다. 내가 사는 아파트는 성원아파트 5동이다. 소파에 앉아 밤하늘을 바라보고 있노라면 십자가만 둥 떠있는 계룡장로 교회의 조명이 그렇게 아름다울 수 없다

2023년 우리나라에서 가장 살기 좋은 도시로 충청도에서 계룡이 1위를 차지했다. 전국적으로는 경기도 과천이 1위이나 생활의 모든 여건을 고려하면 계룡이 전국 1위를 차지할 가능성이 크다고 본다. 계룡이 왜 살기 좋은 도시인지를 나열해 본다.

1. 주변 환경이 깨끗하다.
수려한 경관을 자랑하는 민족의 영산 계룡산과 향적산을 비롯한 많은 숲이 우거져 있고 두계천의 깨끗한 물 등 천혜의 자연환경은 다른 지역과 확연히 다름을 느낄 수 있다. 군사 보호 지역으로 거의 유해공장이 없는 청정지역이다.
왕대산 두계 근린공원, 새터산 공원 등 좋은 산책로들이 있으

며, 교통이 복잡하지 않아 차가 막히지 않는다. 대기오염이 없는 천혜의 자연환경이다.

2. 생활 편익 시설이 갖추어져 있다.

대부분 5km 범위에 생활 시설이 갖추어져 있다. KTX 전철, 인천공항 직행노선, 서울 고속버스가 운행 중이며, 내가 거주하는 아파트 앞에 화요 장터와 인접한 신도안 해미르 아파트에도 금요 장터가 열러 값싸고 맛있는 농산물들이 즐비하다. 군인 가족인 우리는 계룡 쇼핑센터를 자주 이용하는데 질 좋은 상품을 저렴하게 구매할 수 있어 좋다. 각종 물가가 저렴하니 음식값도 가장 저렴하여 부담이 없다.

3. 건강증진을 위한 시설이 완비되어 있다.

신도안과 왕대산의 황톳길을 맨발로 걸으므로 건강증진에 많은 도움을 주고 있다. 무좀으로 힘들어했던 남편은 황톳길을 걸으므로 많이 호전되었다. 충청도에서 도민 건강을 위해 실시하고 '걷쥬' 건강 운동에 많은 시민이 참여하고 있다. 목표 달성자에게 선물을 주니 자연스레 걷기 운동이 많이 된다. 육해공 삼군 본부에 속한 토지에 수영장을 비롯한 각종 체육시설이 있으며 파크 골프장은 매일 나의 출근길이다. 이상규 님께서 파크골프를 해보라는 권유에 오랫동안 망설이다가

계룡 파크골프장에서

나가보았는데 나이 든 우리에게 안성맞춤의 운동이다. 잔디를 밟고 푸른 하늘과 구름이 어우러진 나무와 산을 바라보며 공을 쫓아가다 보면 하루해가 저무는 줄 모른다. 뇌출혈로 쓰러져 회복된 이후 항상 고혈압 관리를 하고 있는데 이제는 고혈압은 염려할 필요가 없다. 우울했던 마음이 홀인원의 함성으로 말끔히 사라져 버리고 다이어트에 관심을 둘 필요가 없어진다. 전국 최고의 경관 속에 완벽한 시설을 갖추어 회원 수가 900여 명이 이르게 되니 36홀이 부족하여 더 증설해야 할 실정이다.

그라운드 골프장과 게이트볼 시설이 여러 곳에 개설되어 있으며 계룡 노인 복지관 내 당구와 탁구시설이 완비되어 있는데 90세에 가까운 어르신이 지금도 젊은이 못지않게 운동을 즐기고 있다

내가 거주하는 성원아파트 500m 이내에 종합 검진센터를 비롯한 의원, 한의원들이 즐비하여 건강에 이상이 있을 때 전문의료인에게 진료받을 수 있어 좋다. 내가 뇌출혈로 쓰러졌을 때 가까운 곳에 있는 계룡 소방대의 119에 의해 건양 대학병원으로 즉시 가서 응급조치하였기에 목숨을 건질 수 있었다. 계룡에서 10km 범위의 거리에 대학병원이 있음이 얼마나 다행인지 모른다.

4. 우리나라의 중심 지역으로 전국이 일일생활권이다.

계룡은 전국 어느 곳을 가더라도 대부분 하루 안에 다녀올 수 있다. 계룡에는 여러 산악동호회가 있는데 내가 가입한 이편한 산악회는 회장님과 산대장의 열정으로 갈수록 회원 수가 늘어나

고 있다. 칠십이 넘어 산행에 무리가 염려되나 함께하는 동호인
들의 배려로 A, B 코스로 나누어 산행하므로 부담 없이 즐길 수
있다. 산행은 주간에만 하는 것으로 인식했는데 남편은 향적산의
야간 산행 동호인 모임에 가입하여 특이한 산행의 기쁨을 누렸
다.

그밖에 기회 있는 대로 인근 관광지를 여행하며 즐기고 있다.
논산시의 선샤인랜드, 탑정호 출렁다리, 세종시의 국립세종 수목
원, 대전광역시의 장태산 자연 휴양림, 오월드, 뿌리 공원, 대청
호 청남대, 금산의 인삼
축제, 월영산 출영다리,
하늘물빛정원, 김천시의
직지사, 옥천 수생식물
학습원의 천상의 정원,
공주의 동학사, 갑사, 신
원사, 공산성, 백제 무령
왕릉과 송산리 고분군, 석장리 박물관, 영동 괘방령의 장원급제
길은 친구 목사가 운영하는 요양원 길목이기에 자주 지나간다.
그리고 한 시간 정도의 조금 먼 거리에 있으나 부여의 백마강,
새만금 방조제와 군산의 망둥어 낚시, 예산 출렁다리의 야간 레
이저쇼와 모노레일, 봉수산 자연휴양림, 예당관광농원, 수덕사,
서천의 국립 해양 생물 박물관, 또한 비인해수욕장은 우리 교회
야외 예배 장소로 적합했다. '갯벌체험장'과 선도리의 동죽, 삐뚤
이 캐기는 즐거움을 한층 더해주었다.

5. 농촌형 도시이다.

농촌 속의 도시로 주변에 텃밭이 많아 여가로 즐기며 농산물을 직접 재배하여 생산하고 있다. 우리 교회 조수행 장로님의 텃밭 1,000여 평에 고구마, 상추, 파 등 먹거리를 성도들과 직접 재배하여 신선한 농산물을 먹는다. 봄이면 가시오가피, 참나물, 엄나무. 옻나무, 가죽나무 잎을 따 먹으며, 대추, 보리수, 매실, 오디를 수확하여 이웃에 나누어 드리는 기쁨을 누린다.

6. 시민의 문화 수준이 높다.

계룡노인복지관에서 시니어 대학을 운영하며, 퍼포먼스, 컴퓨터 교육 등 다양한 프로그램으로 노인들의 삶을 윤택하게 한다. 황혼의 로맨스, 가향 합창단, 다소니, 공예품 만들기, 하모니카 연주 등 다양한 프로그램에 참여하여 나의 삶을 한층 업그레이드시켰다. 탁구 등  운동을 통해 친밀한 관계를 도모하며 체력을 단련시킨다. 노인복지관 점심시간에는 우리 성도들이 자원봉사 하고 있다

2023.어르신 추억담기

계룡 노인지회는 어느새 나의 친구가 되어버렸다. 문화탐방, 고사리 체험행사, 추억 만들기, 등 다양한 프로그램을 개발하여 노인들의 여가를 즐

겁게 해주고 있다. 이곳에 6개의 봉사단체가 있는데 나는 한아름 봉사단원으로 임무를 부여받아 외롭고 쓸쓸히 지내는 독거노인들에게 안부 전화를 드리며 돌보는 봉사단에 참가해 돌보므로 보람을 갖는다.

계룡 문화 예술의 전당에는 매월 2~3회의 다양한 공연을 펼치며 각종 전시회를 개최한다. 유리 상자 공연은 하루 만에 매진되었으며 공연장을 가득 메운 관중들의 뜨거운 열광은 계룡시민의 높은 수준을 증명하고 있다.

계룡보건소에서 실시하는 자살 예방 프로그램에 참여하고 있다, 전에 성, 가정폭력 전문 상담사 근무 경력이 있어 다시 한번 어려움에 처한 자들에게 도움을 줄 기회를 가질 수 있었다.

가까운 거리에 있는 엄사도서관에서 수시로 필요한 도서를 임대하여 책을 읽을 수 있으며 매주 토요일 영화를 상영한다. 이곳에서 스마트교육, 컴퓨터 교육을 통해 날마다 새롭게 변화되는 시대에 적응해 나갈 수 있었다. 계룡도서관의 길 위의 인문학에 참여 "계룡 함께 가는 길" 자서전을 공동으로 집필 출판하게 됨에 감사하기 그지없다. 내가 거주하는 엄사면에 또 다른지하 1층, 지상 4층의 '복합문화센터'가 2025년 완공되면 더욱 질 높은 복지혜택을 누릴 수 있을 것이다.

7. 계룡의 볼거리 즐길 거리

☞ '하늘소리 길' 탐방로

'하늘소리 길'은 계룡산 국립공원에 있는 군사시설 보호지역 내의 '안보 생태탐방로'이다. 출입이 제한되어 안내자에 의한 지정된 탐방로를 따라야 한다. 탐방로 입구에서 맥문동과 꽃무릇 길을 지나 암용이 도를 닦아 승천했다는 암용추에 이른다. 이곳을 지나면서 북한과 교류가 진행될 때 가보았던 금강산의 맑은 물이 연상되었다. 그만큼 깨끗하고 아름다웠다. 암용추를 지나면 1910년 경술국치 이후 나라 잃은 수많은 팔도 유민들이 망국의 한을 품고 계룡산을 중심으로 민족정신을 지키면서 살아온 석련 서성준(본명 서장환)선생을 비롯한 열두 분 은사의 이름이 새겨진 용산십이일민회 석벽이 보인다. 용산십이일민회 석벽을 지나 300m 정도 약간 가파른 길을 오르면 삼신당이 있는데 이곳은 태조 이성계가 백일기도를 올린 후 조선을 건국하고 왕위에 올랐다는 명당지이다. 이곳 2층은 구국 기도회 장소와 독립운동가들의 은신처로 이용되었다. 새롭게 단장된

아름다운 용동저수지 둘레길에서 탐방객들은 평화통일을 염원하는 리본을 달며 남북한이 하나 되는 위대한 대한민국의 꿈과 희망을 바라본다. 이곳 입구에 삼군 본부 체력단련시설(골프장) '구룡대'가 있는데 이곳 식당의 메로 매운탕 맛은 아름다운 경관과 더불어 귀한 손님 모시기에 안성맞춤이다.

☞ 향적산 치유의 숲

계룡시 향적산에 575m 높이의 국사봉이 있다. 1392년 조선을 건국한 태조 이성계가 새 도읍지를 찾다가 1393년 2월 무학대사와 함께 직접 이곳의 산수와 형세를 관찰하며 국사봉에 올라 국사를 논했으며, 부근의 신도안을 국난타개와 태평성대를 이루기 위한 천혜의 요새인 천하대 길지 명당으로 여겨 도읍지로 정하고 궁궐 공사를 진행했으나 경기도 관찰사 하륜이 국토의 한쪽에 치우쳐 있다며 천도가 불가능하다고 상소함으로 공사가 중단되었는데 그 주초석이 지금도 남아 있다.

향나무가 많아 향적산이라 했다는 이곳에 시민건강을 위해 '산림 치유의 숲'을 조성하여 시민의 건강을 지키고 있다. 치유의 숲 입구에는 외국 스님들이 가장 많이 거주하는 국제사찰 무상사가 있다.

'계룡학' 수료 후(향적산 치유의 숲)

☞ 계룡대 병영체험관

세계적으로 유일하게 육 해 공 삼군(三軍) 본부가 한 곳에 자리한 대한민국 국방의 요충 '계룡대' 가 있는 명실상부한 국방도시인 이곳에 매년 10월 초에 '계룡軍문화 축제'가 열려 다양한 볼거리, 체험행사를 시행한

계룡 국제군문화축제

다. 헬리콥터 타기, 탱크 탑승 체험, 그리고 공군 블랙이글스의 공중 에어쇼는 장관을 이루며 육해공군의 군악대를 비롯한 세계 여러 나라에서 참여한 군악대의 공연은 전국 어디에 찾아볼 수 없는 계룡에서만 볼 수 있는 축제이다. 전국 최초의 '병영체험관'을 운영하므로 가상모의 전투 체험, 육군의 전차, 해군의 잠수함, 공군의 전투기 체험을 할 수 있다.

그밖에 괴목정, 사계 고택, 메타세쿼이아의 풍경이 아름다운 입암저수지가 있으며 향적산 축제, 사계 문화제, 두계장터 4.1 독립 만세 운동 재현, 왕대리 축제, 새터산 공원 내의 음악회, 도시 농업 축제, 계룡대, 향한리 광석리의 벚꽃축제 등 다양한 볼거리가 즐비하다.

◇ 계룡의 인물
☞ 조선독립군 사령관 한 훈(호:송촌) 애국지사
한훈 선생은 을사오적 척결을 위한 광복단 결사대를 조직하여 사이토 마코토 일본 총독 암살 계획을 주동하다가 체포되어 교도소에 수감되었다. 광복 이후에는 대한광복회를 설립하였는데

6·25 때에 북괴군에 의해 총살당하였다. 한훈 선생이 평생을 조국의 독립을 위해 몸 바치신 고귀한 업적은 한훈 기념관에 전시되어 있다.

한훈 기념관

☞ 석련 서성준 선생

경술 국치 후 항일 비밀결사 조직 상의회를 조직하여 의병 가족의 후원과 독립자금 모금에 힘썼으며 1919년 3.1운동 때 독립선언서를 인쇄하여 배포하다 일본 경찰에 체포되어 가혹한 고문을 받았다. 그는 용산십이일민회를 조직하여 구국 계몽운동을 펼쳤는데 두계리에 거주하는 그의 큰아들 서경국이 '용산구노회'를 조직하여 선인들의 정신을 이어 나가고 있다.

☞ 성리학자 사계 김장생

당쟁, 임진왜란 등 나라 안팎 혼란의 시대에 모든 사람이 서로 돕고 함께 살아갈 수 있도록 개인의 행동 방식을 구체적으로 알리며 계몽하는 "상례비요(喪禮備要)'를 집필하였다. 돈암서원의 담벼락에 써진 '지부해함(地負海涵), 박문약례(博文約禮), 서일화풍(曙日和風)'의 글귀 '땅이 만물을 짊어지고 바다가 만천을 수용하듯 넓은 아량을 함양하고 학문을 넓고 깊이 익혀서 예를 실천하며, 아침햇살처럼 따뜻하고 부드러운 품성을 길러라'는 사계의 가르침을 받아 계룡시민들이 살아가기에 계룡시민의 성품이 온화한 것 같다. 그 밖에 두계 장터에서 4.1 독립 만세 운동을 주도하다 옥고를 치른 배영직, 기독교인들과 함께 독립운동을 하다 고문을 당한 이순화, 진응수 모자를 비롯하여 양기하, 김병희, 권충락 등 많은 애국지사가 있다.

한가지 내가 기독교인이기에 아쉬운 부분이 있다면 전국 어디에서도 찾아볼 수 없는 '아기 동자 OOO'이란 현수막이 여러 곳에 자주 부착되고 있다. 21세기를 살아가는 우리에게 지금도 이런 모습이 비치고 있다는 것은 한 번쯤 생각해 볼 부분이다. 계룡산의 토속 민속신앙이 워낙 뿌리 깊게 자리를 잡고 있어 아직도 그 흔적이 남아 있는 요인이라 본다.

우리의 보금자리 영암을 떠나 살아가는 것을 생각지도 못했는데 막상 고향을 떠나 계룡에 살아보니 정이 들었다. 이처럼 좋은 환경 속에서 계룡시민으로 살아감에 자부심을 느낀다. 국방 수도로 세계적인 명성과 위상으로 경쟁력을 갖춘 명품도시 계룡. 구수한 충청도 사투리로 계룡시가 전국에서 가장 살기 좋은 도시임을 자랑하고 싶다. '계룡 좋쥬'

대한노인회 충남 계룡시지회 한아름봉사단, 홀로 어르신 전화상담

[백세시대=김순근 기자] 대한노인회 충남 계룡시지회(지회장 김정수) 한아름봉사단(코치 신한심)은 홀로 어르신들을 위한 전화상담 봉사활동으로 좋은 반응을 얻고 있다고 밝혔다

❊ 들꽃처럼

　자신의 삶이 그저 수월했노라고 말할 사람이 몇이나 되겠느냐 저마다 인생의 여정에서 힘든 고난의 삶이었으나 이제 돌아보니 그도 또한 그냥 지나쳐 버릴 수만 없는 소중한 나의 발자취였으며 그러한 순간순간이 오늘의 나를 만들고 지탱하였음을 느끼며 모든 시간이 소중하였음을 고백한다. 때로는 어설프고 싫어도 그 것이 나의 삶임을 받아들이며 치열하게 달려왔다. 후회와 반성이 많지만, 그것마저도 이제 소중한 나의 일부가 되었다. 특별한 계획도 없는 삶이었지만 꼭 묵직한 성과가 있어야만 성공하였다고 말할 수 있겠는가? 범부의 생을 살았지만, 누구도 대신할 수 없는 나의 인생 스토리이기에 지나온 날을 반추해 보니 입가에 미소가 절로 지어진다. 주어진 삶을 숙제처럼 여기며 가슴 절절히 무섭고 고통스러운 순간도 때로는 후회와 좌절의 순간마저도 나의 기억 속에 함께 하고 있음을 느끼며 너무나 열심히 달려온 나의 모습이 과연 가치 있는 삶이었는지 되돌아본다.

　남편을 따라 목회의 삶으로 계룡에 온 지 8년. 뇌출혈로 쓰러져 의식불명 상태로 생사의 갈림길에 섰던 나를 살려주신 하나님 은혜로 지금의 건강을 잘 유지하고 있으니 그저 감사할 뿐이다. 매사에 나를 격려하고 나의 가능성에 늘 바퀴를 달아주는 남편의 지지가 아니었다면 오늘의 내가 있을까? 부족한 엄마지만 잘 따라주고 행복한 가정을 일구어 우리를 기쁘게 하는 아들들과 며느리들 손자 손녀들이 사랑스럽다. 교회라는 울타리에서 가족처럼 끈끈한 정과 믿음으로 맺어진 성도님들 소중하고 귀하다. 여러 선택의 과정에서 언제나 바르고 유익하게 결정하여 오지는 못했을지라도 나를 이끌어주신 하나님의 인도하심 따라 칠십여 인생을 살았다.

앞으로도 더욱 선하고 아름다운 모습으로 이웃과 더불어 살아가고 싶다. 벌은 꽃에서 꿀을 따면서 열매를 맺도록 꽃을 도와줌과 같이 내 이웃의 기쁨이 되고 싶다. 성경에는 아름다운 향기를 풍기며 관계를 형성해 나가는 사람들이 소개되어 있다.

베들레헴 땅에 힘 있고 유력한 지주인 보아스는 자기 밭에서 일하는 일꾼들을 자기와 동등한 위치로 보며 트집이나 문제 삼으려 하지 않고 복을 빌어주는 아름다운 모습을 보인다. 자신의 밭에 이삭을 주우러 온 룻을 위해 곡식 다발을 조금씩 뽑아 그에게 줍게 배려하고 음식까지 대접하며 최상의 예우를 한다. 룻은 혼자만 배불리 먹은 것이 아니라 대접받은 음식을 남겨 시모 나오미에게 드리므로 나오미는 보아스의 모습에 감동하여 그가 기업을 무를 자 중의 하나라며 축복한다. 은혜를 베풀 줄 알고 은혜를 감사할 줄 아는 마음, 사랑을 할 줄 알고 사랑을 받을 줄도 아는 아름다운 자세이다. 혀로만 사랑하지 않고 이처럼 행함과 진실함으로 아름다운 만남을 이루어가고 싶다.

요나단은 이스라엘의 초대 왕 사울의 아들로 대를 이을 태자이다. 그에게 강력한 라이벌 다윗이 등장하자 그의 아버지 사울은 다윗에 대한 질투심으로 그를 죽이려 할 때 요나단은 다윗과의 우정을 더 소중히 여기며 그를 구출해 주므로 위기를 넘기게 된다. 끊을 수 없는 우정의 돈독함에 다윗은 나중에 왕이 되어 요나단의 아들을 찾아 절뚝발이 므비보셋을 친자식처럼 돌보며 왕의 상에서 함께 먹을 수 있는 특권을 준다. 다윗과 요나단의 변함없이 아름다운 우정의 관계를 나의 사랑하는 벗들과 유지하며 살아가련다.

요셉을 애굽의 노예 상인들에게 팔아버린 요셉의 형들은 애굽에 곡식을 사러 갔다가 애굽의 총리가 되어 있는 요셉을 만나게 된다. 요셉에게는 마침내 원수 갚을 기회가 왔고, 요셉의 형들은 꼼짝없이 붙들려 죽게 되었음에도 요셉은 단 한마디의 비난이나 원망의 말을 하지 않고, 그의 형들을 용서하고, 사랑으로 품는다. 오히려 하나님께서 우리의 생명을 구원하시려고 자신을 먼저 이곳에 보내셨다며 형들을 위로한다.

하나님의 뜻에 따라 아브라함은 독자 이삭을 데리고 모리아 땅으로 가 단을 쌓고 이삭을 결박하여 번제를 드리려 할 때 아들 이삭은 이 모든 사실을 알면서도 아버지를 뿌리치며 반항하지 않고 자신을 죽여 제물로 삼으려는 아버지의 뜻에 따라 순종한다. 바로 그때 하나님께서 그 아이에게 손을 대지 말라며 '내가 이제야 하나님을 경외하는 줄 아노라.' 말하며 수양을 준비시켜 아들을 대신하여 번제 드리도록 하며 복을 내리신다. 가족 간에 어떠한 형편에 있을지라도 기쁠 때 함께 웃고 슬플 때 서로 위로하며 우애가 넘치는 행복한 가정 이루어가므로 하나님을 미소 짓게 하고 싶다.

무엇보다 하나님과 나와의 관계 속에서 선하고 아름다운 꽃이 피기를 원한다. 참 신앙이란 '내가 무엇을 함'으로서 얻어지는 것이 아니고, '주님과 내가 어떤 관계에 있느냐'에 따라서 나타나는 것임을 자각한다. 외식과 형식주의의 껍질을 벗고 주님과의 인격적인 관계를 이루어가련다.

주님은 항상 기뻐하라, 쉬지 말고 기도하라, 범사에 감사하라 하셨다. 바울은 복음을 전하다가 투옥되었으나 하나님만을 섬기며 신실하게 살아왔는데 왜 교도소에 넣습니까? 라고 불평하며 하나님을 원망하지 않고 오히려 하나님은 나에게 복음을 전하도록 이곳에 보내셨으며, 로마 정부에서는 자신을 먹여주며 하루

24시간 내내 지켜주고 있다고 감사했다.

　시편 기자는 우리를 향하신 하나님의 사랑은 그 수를 셀 수도 없이 많다고 했다. 긍정적인 사고와 유머를 장수의 비결로 여긴다. 꼭 일치된다고 볼 수는 없지만, 가수는 대개 자기가 가장 히트한 곡대로 운명이 따라간다. 신나고 즐거운 노래를 부르는 가수들은 비교적 별 탈 없으며 고통, 이별, 죽음, 슬픔, 탄식 같은 노래를 부르는 가수들은 단명한 경우가 많다고 한다. 마음의 즐거움은 양약이라도 심령의 근심은 뼈를 마르게 하느니라(잠언 17:22) 했다. 항상 하나님이 함께 하심을 믿고 근심, 걱정 버리고 긍정적인 사고로 그때그때 필요에 따라 일용할 양식을 주시므로 욕심부리지 않고 드리고 나누고 베푸는 모습으로 노후의 삶을 멋지게, 신나게, 보람있게 살아가련다. '백발은 영화의 면류관이라 공의로운 길에서 얻으리라.' 했다 가정과 사회 속에서 나의 역할을 하기 위해 부단히 애쓰며 싫어도 할 수밖에 없는 일들을 하며 살아왔었지만, 백발이 된 이제는 나를 실현하고 내가 좋아하는 것들을 찾아 하나씩 해보기로 한다.

　치열한 삶을 뒤로하고 여유롭고 담담한 지금이 나는 너무 좋다. 많은 여유가 있는 건 아니지만 쓸 것을 못 쓸 정도가 아니니 감사하다. 자식들을 키워 이제 사회에서 자기 역할을 잘하고 독립된 인격으로 살아가니 감사하다. 이제 여유로운 마음으로 천천히 지나는 시간을 아껴가며 넉넉한 삶을 누리고 싶다. 기적 같은 삶이 정말 나의 삶이 될 수 있기를 바라며 주님의 은혜를 경험할 수는 있는 지금의 삶이 만만하고 편안하다. 어느 시인의 '기적의 삶'이 마음에 와닿는다.

　넓은 마음으로 모두 용서 하고 싶고 사랑의 의미를 조금은 알

수가 있는 나이가 되도록 많은 역경을 잘도 견디어 내고 오늘까지 살아있음이 기적이다. 너그러운 마음으로 좋은 점을 보며 긍정적으로 생각하고 밝은 면을 볼 수 있으니 기적이다. 자연과 함께 할 수 있는 풍요로운 노년의 삶은 더욱 큰 기적이다. 마음에 들지 않은 일이 있어도 모르는 척 넘어가는 여유를 가질 수 있고, 없는 것에 마음 쓰기보다는 있는 것에 감사할 수 있으니 얼마나 큰 기적인가? 원망하고 미워하기보다는 사랑하고, 의심하기보다는 믿어주며 받은 것보다는 주는 기쁨을 누리는 노년은 멋지다. 노년의 고독을 아름답게 승화하며 간결하고 소박한 생활에도 불평 없이 감사할 수 있음도 하나의 기적이다. 절제와 사랑과 감사로 노후 준비를 철저히 미리 한 노년의 삶은 매일매일 기적이 일어나는 행복하고 멋진 세상이다. 삶의 아름다움을 마음껏 누리며 하나님이 부르시는 날까지 사랑 가득한 마음으로 행복하고 멋진 노년의 삶을 누리는 것은 기적이며 은혜의 특별한 선물이다.

나는 죽음의 문턱에서 살아났기에 지금의 삶은 덤이라 생각하며 이제는 욕심부리며 살아가지 않으련다. 나 중심이 아닌 조금씩 주위를 둘러보며 병원에서의 다짐처럼 질병의 고통에 힘들어하는 자를 위로하고, 생활고에 고초를 겪는 자를 격려 하며, 외롭고 쓸쓸한 독거 어르신의 말벗이 되어 그들이 안정감을 찾아 미소를 짓게 되므로 나도 그 모습을 보며 미소 짓고 싶다. '요한은 켜서 비추이는 등불이라 너희가 한때 그 빛에 즐거이 있기를 원하였거니와 (요한복음 5:35)'의 성경 말씀처럼 무엇보다 잃어버린 영혼들이 돌아오기를 기대하며 누군가의 인생에 어둠을 밝히는 한줄기 등대의 불빛이 되고 싶다.

남편이 나에게 '들꽃'이라는 닉네임을 부쳐주었다. 들꽃처럼 강인하게, 아름답게, 향기로운 냄새를 풍기는 그리스도의 향기 가득 날리며 살아가라는 의미이다. 남편의 바람처럼 비바람 폭풍우를 잘 견디어온 자신을 다독이며 화려한 목단이 아닐지라도 온몸을 떨며 피어나는 한 송이 들꽃으로 피어나고 싶다. 남이 보아주지 않아도 칭찬이 없어도 내 혼자만의 색깔로 피어나 온 들에 향기를 드리우는 꽃밭의 작은 꽃이 되고 싶다.

　이 글을 쓰면서 나를 돌아보며 잊혀 가는 추억을 떠올리며 아픈 기억이 있었으나 그것 또한 나를 나답게 해주었고 더 잘 영글게 해주었음을 감사하고 아름다운 이웃들이 있어 행복했음을 고백하지 않을 수 없다. 나와의 인연을 맺은 이 글에 관련된 분을 만나게 해주신 하나님께 영광을 드리며 모두가 행복하기를 기원한다.

기고문

영암군 여성 새마을 지도자와, 부녀회 활동, 미암농협 이사, 직장생활을 하면서 지역신문에 기고한 글입니다.

17. 기고문

※ 생명 산업을 지키는 농업

교통 및 정보통신 기술이 급격히 발달하면서 전 세계가 하나의 공동체란 의미의 '지구촌'이란 말까지 생겨났다. 안방에서 세계 곳곳에서 벌어지는 각종 소식과 정보, 각국의 문화와 풍습을 접할 수 있게 됐다. 또 활발해진 무역을 통해 각국의 공산품과 농산물을 쉽게 쓰고 먹을 수 있게 됐다.

그러나 무역의 가치로 따질 수 없는 것이 있다. 그것은 바로 오늘의 우리가 있도록 스스로 지켜 낸 농업의 가치와 역할이 아닌가 싶다. 생산원가를 얼마 들여 얼마만큼의 식량을 생산해 내고, 얼마에 팔아서 얼마의 수입을 남겼다는 경제적 원칙의 잣대로 잴 수 없는 가치가 농업에는 숨어 있다.

농촌은 여태껏 우리 사회의 기초를 담당해왔다. 산업 및 정보화 사회로 급변하는 과정에서도 이런 본연의 임무를 성실히 지켰으며, 우리에게 안전한 먹을거리를 제공하고 우리의 건강과 생명을 지켜오는 데 앞장서 왔다. 또한, 환경을 소중히 여기는

영암군새마을경진대회

마음으로 국토 강산을 지켜 낼 수 있었으며, 전통문화의 맥을 이어오는 데 파수꾼 역할을 담당했다.

실례로 농작물을 통해 충분한 산소를 공급하고, 논의 담수 기능을 통해 홍수를 조절했다. 여름철 뜨거운 지열을 흡수하고 증·발산작용을 통해 대기 온도를 조절하는 등 자연환경을 유지하는

데도 농촌의 역할은 간과할 수 없다. 이는 단순한 물질적 재화의
가치와는 비교할 수 없는 또 다른 가치이다.

 상품 가치로 따지자면 외국산 쌀을 사 먹고 우리 공산품을 팔
아 더욱 부유해지는 방법이 당장 눈앞의 이익에는 도움이 될 것
이다. 그러나 경제적 조건만이 삶의 질을 높이는 필수조건은 아
니다. 그보다 더 중요한 것은 생명과 건강이며 마음의 풍요함이
라고 생각한다.
우리 농업은 생명 산업으로서 환경 보존과 전통문화의 계승을
위해 오늘도 묵묵히 그 자리를 지키고 있음을 우리가 모두 알아
야 한다.
농업은 곧 생명 산업임을!

미암면 새마을 부녀회장들과 함께

※ 가자, 대한의 에덴동산 영암으로!

   십여 년 전 일이다. 내가 다니는 작은 시골 교회에 서울에서 한 방 무료 봉사 활동을 나온 남편의 후배가 남편에게 두 가지의 건강에 관한 이야기를 해주었다. 하나는 남편은 소음인이기에 가물치를 약으로 먹으면 치질 계통의 질병이 유발되기 쉽다는 것이다. 당시 치루 수술을 3번이나 했던 남편은 가물치를 약으로 먹었었는데 체질에 정 반대되는 음식을 다량 복용했으니 아마 그게 요인이었는지도 모른다.

   또 다른 하나는 산딸기가 매우 건강에 좋다는 것이다. 이장들과 선진지를 견학할 때 관광버스에서 산딸기가 몸에 좋다고 말했더니 채지리의 윤충근 이장님이 산딸기 술을 담아 해마다 가을이면 남편이 근무하는 직원들을 초청하여 함께 회식하였는데 그때 복분자를 이곳의 특산물로 재배하려고 착안하였다면 지금의 고창 복분자가 아닌 영암 복분자가 되었을 텐데 기회를 놓친 것이 아쉬웠다.

   아쉬움이 있는 또 다른 과일이 있다. 몇 년 전 내가 목포 YWCA에서 교육을 받으면서 집에 있는 석류를 교육생들과 함께 먹었는데 그 중 어느 분이 석류가 먹고 싶어 목포 시내 공판장을 다녀도 구할 수 없었다며 구매할 방법을 문의해와 집에 남아 있는 석류를 주겠다고 했더니 목포에서 이곳 미암까지 택시를 타고 와 도대체 석류가 얼마나 좋기에 그럴까 하고 인터넷 사이트를 통해 조사해 보니 천연 여성 호르몬이 함유되어 여성에게는 무엇보다 좋은 과일이었다. 귀한 과일이기에 이곳에 석류 단지를 조성하여 전국 제일의 생산단지로 농가 소득을 올리겠다는 의욕으로 석류에 대한 각종 자료를 찾아내고, 직접 집에서 시험 재배하며 기대에 부풀어 있던 중 그해 가을에 고흥군에서 대량으로 석류를 재배 매스컴에서 대대적으로 홍보된 것을 보니 또 한 발짝 늦어버린 사실을 알게 되었다.

 어느 날 집 뜰에 심어놓은 새벽이슬을 먹고 익은 무화과 한 바구니를 따서 남편과 함께 먹던 중 바로 이거라고 손바닥을 쳤다. 아담과 하와가 무화과 잎으로 벗은 몸을 가렸던 태초의 과일 무화과, 히스기야 왕의 종기에 무화과 반죽을 하여 치료하였다는 생명의 열매 무화과, 하늘이 주신 축복의 땅 영암에 이전부터 무화과를 재배하고 있으니 다른 작목을 찾을 것이 아니라 이 무화과를 확실한 영암의 고소득 작목으로 만드는 방안을 우리 영암 농업인이 함께 노력해야 한다. 농약을 하지 않고 공해 없는 자연 속에 자라는 무화과는 알칼리성 식품으로 옛날부터 민간 의료약으로 동의보감에서 아주 소중히 여겨 왔으며 단백질 분해효소인 피신이 함유되어 변비, 위장병, 부인병 등 신체 기능 활성화에 효능이 있다고 한다. 변비에 다년간 고생하던 나도 무화과 철이면 위장병과 변비는 사라져 버린다.

 이처럼 약효 성분이 뛰어난 무화과는 저장성이 약하여 별도리 없이 이제껏 노상 판매에만 의존하였으나 최근에 삼호농협에서 새로운 포장 방법을 개발하여 이제는 제주도 강원도를 비롯한 전국 어디에서도 신선한 맛 그대로 드실 수 있도록 하였다고 한다.
중국의 값싼 저질의 농산물이 이제 우리의 식탁에까지 오르는 등 모든 농산물이 수입되고 있는 마당에 무화과는 저장성이 없어 수입될 수 없기에 저장성이 약한 것이 오히려 장점이 되어 농가 소득을 크게 올릴 수 있음에 정말 반가운 일이다.

더욱 영암군에서 무화과 가공단지 조성을 위해 5억 원을 보조하여 무화과즙, 잼, 식초, 연양갱 등 가공제품을 생산할 수 있도록 한 것은 무화과 소비 활성화에 크게 기여함은 물론 국민건강을 위해 매우 바람직한 일이다.

또한, 삼호에 에덴동산을 만들어 테마관광 농원으로 조성할 계획이라 한다. 지역농업 클러스터 개발 차원의 에덴동산 조성은 월출산, 왕인박사 유적지와 더불어 때마침 발표된 관광 레저형 기업도시로서의 개발계획과 연계하여 세계적인 관광지가 될 것으로 믿어 의심하지 않는다. 꿈과 희망의 영암! 이제 머지않아 많은 국민이 이야기할 것이다. 가자, 대한의 낙원 영암 땅 에덴동산으로!

2005. 10. 1

미암 여성 새마을 지도자 신현심

가자 대한의 에덴동산 영암으로!

초가지붕 위에 흰 겉저고리가 던져지고 사립문에는 고무신 한 켤레와 노란 사자 밥이 세 사발 놓였습니다. 마지막 고인이 숨을 거두자 돌아가신 어머니를 부여잡고 "서숙 밥만 잡수시다 흰밥 한번 못 잡숫고" 한없는 푸념을 쏟아 내는 아들의 눈물이 있습니다. 그저 어른의 생신날이나 위 할아버지의 제삿날이나 기대하며 먹어 보았던 쌀밥. 쌀밥을 위에 올린 보리밥 가득 담긴 양철 도시락은 그나마 자식의 도시락에 차마 보리밥만 담을 수 없는 어미의 마음입니다.

 딱딱하게 굳어버린 조밥마저도 그저 형편이 괜찮은 사람들의 양식이었던 우리의 농촌이 기계화와 과학영농으로 가난과 배고픔을 벗기 시작한 것은 불과 얼마 되지 않았는데 이제는 쌀밥이 주식의 자리를 내어 줄 위기에 있고 생산된 쌀이 창고를 지키기에 그 비용이 부담스럽고 세계시장의 가격경쟁에서 밀려나 가공처리 원료로도 환영을 받지 못하는 지경에 이르렀습니다. 그래도 농민들은 해마다 철이 되면 온 정성을 다하여 한 톨의 쌀이라도 소비자의 구미에 맞게 생산해 내고자 비지땀을 흘리고 있습니다.

 비료, 농약을 비롯한 생산비 등 투자와 수입을 따지기에 앞서 그저 먹을거리를 잘 키워 낸다는 자부심 하나로 오늘도 열심히 벼농사를 짓습니다. 그러나 세계의 농업은 우루과이라운드 협상을 계기로 WTO 체제 출범과 함께 우리만의 생산과 소비를 허락하지 않고 더욱 농민의 생계마저 위협하고 농민들은 애써 생산한 쌀의 판로를 위해 동분서주해야 하는 어려움에 직면하기에 이르렀습니다.

이처럼 힘든 여건 속에서도 농촌을 지켜나가는 우리에게 용기를 심어주는 따스한 "고향 사랑의 손길"이 있습니다. 전자상거래를 통한 "영암 쌀 팔아 주기 운동"이 그것입니다.

 영암군청과 농협이 공동으로 계약재배를 통하여 천혜의 토질인 영산강 간척지에서 친환경적인 농법으로 생산한 벼를 "달마지 쌀"이라는 명칭으로 브랜드화하여 영암군에서 택배비 전액을 부담하여 도시에 거주하는 출향인, 친척 여러분께 보내 드리는 것입니다. 황토의 흙 내음이 풍기는 고향 쌀을 먹고 싶다면서 영암 쌀을 구입해간 대전의 남편 친구! 오히려 값비싼 경기미보다 밥맛이 좋다며 아파트단지에 소개해준 서울의 올케! 식당을 찾아다니며 열심히 영암 쌀을 소개하여 단골을 확보해준 초등학교 동창! 택배비를 지원하며 농민과 함께 쌀 팔아주기에 앞장서고 계시는 영암 군수님을 비롯한 군청 산하 공무원들! 가족까지 동원하면서 영암 쌀 판매에 온 힘을 다하는 농협의 임직원! 이처럼 고향의 부모 형제자매를 생각하며 농촌의 어려움에 함께하고자 하는 출향인 및 우리 쌀 팔아주기에 나선 여러분들이 계시기에 농촌은 아직 희망을 버리지 않고 기쁜 마음으로 땀방울을 흘릴 수 있습니다.

 더욱 우리의 밝은 미래를 향한 농촌의 꿈을 가꾸어 나갈 것입니다. 허기진 배를 채우던 쌀밥으로 가정의 경제를 이끌던 벼농사로 이제는 건강한 식탁을 책임지고 생명을 지켜 낸다는 자부심으로 우리의 농촌을 지켜나갈 것입니다.

면민의 날을 빛낸 사람들

줄다리기가 한창이다. 젖 먹던 힘까지 내어 마을의 승리를 위해 온 힘을 쏟는다. 심판진의 운영미숙으로 서로 이겼다고 우기는 가운데 신한리 이장들이 깨끗이 양보해 주었다.

진정한 승리는 면민의 화합을 이루어내는 것임을 상기시키는 결단을 내어준 것이다.

격년제로 치루는 면민의 날 실외행사는 온 면민들과 출향인들이 함께하는 잔치가 되어 적지 않는 비용이 필요하다. 체육회 대의원들의 회비로 부족부분을 충당했던 것마저도 이번에는 갹출하지 않기로 결의하여 행사의 규모를 축소해야 할 형편이었다.

다행스럽게도 서울의 신우균 님, 멀리 진주의 김종권님, 김재균 재광향우회 회장님, 강용래 재목향우회원님을 비롯한 여러분의 출향인들께서 찬조금은 물론 직접 행사에 참여하여 주셨으며 미화요원으로 근무하는 정중호님이 돼지 1마리를 쾌척해 주시는 등 면민 여러분들께서 십시일반으로 참여하여 주셨다.

특히 일흔이 넘으신 어느 어르신께서는 주머니에서 만원짜리 지폐 두 장을 꺼내주시면서 행사에 보탬이 되도록 하라는 말씀에 눈물겹도록 고마웠다. 어쩜 어려운 생활 속에서도 함께 참여하고자 하는 손길들이 있었기에 이들에게 더 힘찬 박수를 보내고 싶다.

미암농협 주부대학 회원들께서는 바쁜 농번기임에도 저녁이면 모여 농악연습을 하며 소방대, 청년회 등 사회단체와 노인회에서 까지도 자신들의 마련된 기금으로 행사를 협찬한다.

또한 청년회, 방범대 회원들은 주차시설 확보를 위해 이틀간 학교 앞 공터를 말끔하게 처리, 주차장으로 활용하도록 하는 등 행사에 도움이 된다면 아이디어를 내고 수고를 아끼지 않는 정성들이 있었다. 남이 알아주지도 않건만 모두가 한마음 한 뜻의 헌신적인 봉사에 오직 감사할 뿐이다. 이들의 정성의 손길들이 면민을 하나의 공동체로 결집시키고 활력과 건강이 넘치는 지역사회로 더 승화 발전시켜 나가고 있는 것이다.

이와 같은 미암인에게는 투철한 봉사의 정신이 깃들어 있기에 조그만 면에서 각종 체육행사에 우수한 성적을 거양하는 원동력이 되었으리라 믿는다.

이제껏 내 앞만 내다보고 살아왔던 나의 지난날의 청년시절이 이들 앞에 자신의 도전으로 다가오고 스스로에게 다짐한다. 나도 이제라도 한 일원이 되어 우리 지역사회에 내 조그마한 정성이라도 보탬이 되므로 내심의 보람과 행복을 가져 볼 것을.

최 규 용
· 미암면체육회장

2006.11.3. 영암신문

우리가 사는 이곳은

 노루가 쉬어 감직한 야트막한 동산을 따라 졸졸 시냇물 같은 길이 나 있습니다. 흰 눈이 덮일 때면 가끔 산토끼가 나타나 놀란 토끼 가슴이 되어 논둑을 휘돌아 오면 넓은 운동장 한편에 우뚝 선 큰 이층집이 우리의 보금자리입니다. 아침 해가 뜨면 숟가락 부딪치는 소리와 함께 하루가 시작됩니다. 시끌벅적한 식사 시간, 그나마 젓가락질이 서투른 아이들은 반찬과 밥을 섞어 비빔밥을 먹지만 어떤 진수성찬 못지않은 식탁입니다. 꿀꺽꿀꺽 물 삼키는 소리도 맛있습니다.

 그러나 이런 평화도 잠시 ~ ~ 아웅다웅 때리고 싸우고 짜증을 내고 고집부리는 아이들. 말소리 없는 아이들도 울음소리는 유난히 큽니다. TV와 떨어질 줄 모르는 아이 대. 소변 수발이 필요한 아이. 늘 맨발로 복도를 뛰는 아이. 더욱 사춘기를 맞은 아이들의 복잡 미묘한 변화를 놓쳐서는 안 되며 가끔 가출을 시도하는 아이도 있습니다. 잠시도 긴장의 끈을 놓을 수 없는 시간이지요. 싸우는 아이들을 말려 타이르기에 나의 수화실력은 턱없이 부족하지만 매일 기다림으로 맞아주고 볼이 닳도록 뽀뽀해 주고 안아주고 어미 냄새를 맡고자 나를 향해 코를 벌름거리는 사랑스러운 아이들을 보며 힘을 얻습니다.

♡ 사랑해, 고마워, 예뻐, 좋아 ♡
수도 없는 손짓 사랑의 언어들이 전해집니다. 때론 힘이 들고 지치지만 이런 아이들에게서 사랑의 에너지를 충전 받습니다. "그래 너희들을 사랑한다고 생각했는데 너무 많은 사랑을 받고 있구나."

♡ 나도 정말 정말 사랑해 ♡

이곳은 말소리가 없이도 대화가 넘치고 웃음소리가 없이도 늘 웃음꽃이 피어나는 우리의 보금자리입니다.

2004. 5. 28

사회복지법인 소림

사회복지사 신현심

감사합니다

사랑하고 축복합니다.

제3부 남기고 싶은 발자취

18. 기도문

※ 아내 건강을 위한 기도

살아 역사하시는 하나님 아버지

주님께서 택하시어 자녀 삼으시고 복음 전파 사역의 길을 저와 함께 가도록 사명을 주시어 주님의 소명을 이루어가는 아내가 지금 뇌출혈로 인하여 극심한 고통 중에 있습니다. 망치로 때려 맞는 것 같은 통증으로 입술이 메말라 갑니다.

여호와 라파, 치료하는 하나님 아버지 강력한 치유의 역사가 일어나게 하옵소서. 먼저 과다한 지주막출혈은 90% 이상 사망에 이른다고 하나 이처럼 살아있게 하심을 감사드립니다. 이 아픔과 고난을 주님의 섭리로 받아들입니다. 주님의 저희를 위한 놀라운 은혜를 바라봅니다. 이 고통을 통해 교회가 하나 되게 하시고, 형제가 다시 소통하게 하시려는 주님의 섭리가 있으리라 믿습니다. 이 아픔을 통해 살아계신 하나님의 일 하심을 간증할 수 있도록 하기 위함인 줄 믿습니다.

하나님 아버지 그러하오나 지금 저와 아내는 이 어려운 현실 앞에 너무 두렵고 떨립니다. 행여나 잘못될까 봐 공포감에 잠을 이루지 못합니다. 주님 아침 정오 저녁에도 부르짖으오니 저의 소리에 귀를 기울여주옵소서. 아픔을 견디어 이겨내게 힘을 주옵소서.

지금 상황이 지주막하 출혈로 인하여 너무 많은 피가 뇌 속에 고여 고통이 지속하고 있습니다. 이 고통을 감당하기가 정말 힘이 드오니 고통을 멈추게 하옵소서. 고여 있는 피가 녹아 없어지게 하옵소서. 앞으로 합병증이 예상된다고 합니다. 뇌동맥류가

재 출혈 되지 않도록 하옵소서. 코일 시술 후 6~8일째에 최고의 혈관 경련 수축이 발생할 수 있다 하므로 이로 인한 신경학적 장애 후유증이 발생하지 않도록 치유하여 주시옵소서. 수두증으로 인한 인지기능 장애, 우울장애, 불안장애가 나타나지 않도록 완벽하게 치유하여 주옵소서. 주님 권능의 손으로 어루만져 주시옵소서. 아내를 치유하여 주시고 강건한 몸으로 주님을 더욱 섬기게 하옵소서.

담당 의사, 간호사 그리고 주변의 모든 치유의 손길에도 정성을 다하여 아내를 치료할 수 있도록 주님 도움 주옵소서. 힘들어하는 저희에게 주님의 음성을 들려주시옵소서. 말씀이 양약이 되어 말씀의 힘과 기도의 능력을 보여주시옵소서. 주님의 품 안에서 기쁨을 얻게 하옵소서. 환난 날에 주님께 부르짖사오니 저희의 간구하는 소리를 들으소서.

주님은 위대하시어 기이한 일들을 행하시오니 주님만을 의지합니다. 은총의 표적을 보여주시옵소서. 주님은 나를 돕고 위로하시는 아버지인 줄 믿습니다. 진정한 믿음은 내가 아니라 능력주시는 하나님께서 가능하다고 생각하게 할 줄 아는 것인 줄 믿습니다. 하나님이 계시기에 가능하다고 생각했던 여호수아 갈렙처럼 축복의 가나안 땅을 향하여 칠흑 같은 어두움 속에서도 새벽의 일출을 바라보게 하옵소서.

지금 우리를 지켜보고 계실 줄 믿습니다. 주님의 말씀을 의지합니다. 온전히 주님만을 붙잡습니다. 간절히 기도하는 저의 바램을 주님께서 이루어주실 줄 믿습니다. 놀라운 치유의 역사가 일어날 줄 믿습니다. 하나님 아버지 치유의 손길이 이 시간 저의 아내에게 임하시어 모든 질병을 사라지게 하시어 일어나 뛰게 하옵소서. 할렐루야 주님을 기뻐 찬양하게 하옵소서.

2017년 1월

❀ 시온. 순현 결혼을 축하하며

복의 근원 하나님 주님께서 귀히 쓰시는 목사님을 통하여 시온이와 순현이를 한 몸 이루게 하심을 감사드립니다. 수많은 사람 중에 동서 화합을 위한 경상도와 전라도의 인연을 갖게 하시고 믿음 안에서 하나가 되게 하신 실로 주님의 특별하신 은총입니다. 저희가 주님을 택한 것이 아니라 주님이 저희를 택하심 같이 시온 이와 순현이를 택하시어 돕는 배필로 부부 되게 하신 주님. 시온의 이름처럼 시온의 영광이 빛나게 하시옵소서.

하나님을 가정의 호주로 삼고 가장으로서의 가족을 먹여 살릴 수 있는 남자의 힘과 아내 사랑하기를 그리스도께서 교회를 사랑하시기 위하여 자신을 주심같이 하며, 순현이의 이름처럼 순전하며 현모양처로서 화목한 가정을 꾸려가게 하옵소서. 주부로서의 아름다운 머리를 꾸미고 금을 치고 화려한 옷을 입는 외모로 하지 말고 내면적인 마음의 아름다움이 넘치게 하옵소서. 잘못이 있을지라도 서로 용납하여 피차 용서하며, 부족함을 채워 주면서 모든 것 위에 사랑을 더하여 함박웃음 활짝 핀 행복한 가정 이루게 하옵소서.

아비의 마음을 자녀에게 돌아가게 하고 자녀들의 마음을 그들의 아비에게 돌아가게 하라는 말씀을 상기하며 앞으로 태어날 자녀들을 믿음 안에서 잘 양육하며 생명 주시고 가정을 이루게 하신 하나님의 섭리에 따라 살아가게 하옵소서. 우리에 양이 없으며 외양간에 소가 없을지라도 여호와로 인하여 즐거워하며 구원의 하나님으로 인하여 기뻐하는 가운데 생육하고 번성하여 땅에 충만한 삶 이루어가게 하옵소서.

처음은 싹이요 다음은 이삭이요 그 다음은 충실한 곡식이라 말씀처럼 성실하게 열심히 사랑의 텃밭을 가꾸어 나가 꽃이 피고 열매 맺어 산새가 지저귀는 아름답고 행복한 가정, 기도하는 가정, 행복 바이러스를 전하는 가정, 하는 일마다 복을 창조해 나가는 가정 이루어가게 하옵소서.

사랑의 주님! '시온'이를 결혼시키기까지 최선을 다해 키워왔다고 하나 생각해 보면 너무 부족함이 많았음을 돌이켜 봅니다. 이제 부모도 누구의 힘이 아닌 자신의 노력과 힘으로 살아감에 있어 어제의 능력자가 오늘의 무능력자가 되는 변화와 혁신의 시대에 강한 자가 살아남는 것이 아닌 변화에 가장 민감한 자가 살아남는 현실을 자각하며 현실에 안주하지 않고 창의력과 꾸준한 자기 계발로 미래를 개척하게 하옵소서.

명인은 한순간에 만들어지는 것이 아닌 오랜 기간에 걸쳐 각고의 노력 끝에 태어나듯이 현대인이 가져야 할 덕목 EQ(감성), HQ(유모), 전문성과 자신감을 갖추어가게 하옵소서. 적게 심는 자는 적게 거두고 많이 심는 자는 많이 거둔다는 말씀처럼 벌수 있을 만큼 벌어, 줄 수 있을 만큼 줘가며 하늘에 보물을 쌓아두게 하옵소서.
자신의 가는 길을 비추기보다 누군가의 길을 비춰주는 자가 되게 하시오며 지극히 작은 것부터 충성하며 마음을 강하게 담대히 좌로나 우로나 치우치지 말게 하옵소서

눈물을 흘리며 씨를 뿌리는 자는 기쁨으로 단을 거두리라 하신 주님
고난과 역경이 있을 때 고난을 통해 역사하시는 하나님의 손길을 믿음으로 바라보게 하시고 너희 말이 내 귀에 들린 대로 내

가 너희에게 행하리라는 말씀 의지하고 간절히 기도하므로 고난 뒤에 예비해 주신 축복 누리게 하옵소서. 악인의 꾀를 좇지 아니하며 말씀을 주야로 묵상하며 매사에 긍정적인 생각으로 항상 기뻐하고 쉬지 말고 기도하며 범사에 감사하며 섬김과 나눔, 희생과 봉사로 만나는 사람에게 기쁨과 감동을 주게 하옵소서.

하나님 아버지

시온. 순현에게 복에 복을 더하여 주시어 그들의 마음과 생각을 지켜주시옵고 주님의 얼굴을 비춰사 은혜를 베풀어주시며 평강을 주시옵소서. 아들 부부의 지경을 넓히시고 매일 말씀 가운데 이제껏 알지 못하던 하나님의 은비한 일들을 창조해 나가 하나님 미소 짓게 하므로 시온. 순현이도 미소 짓는 주님의 신실한 자녀 되게 하옵소서.

- 2010. 3. 27 -

동서 그리스도의 교회에서 장성만 목사 주례

❈ 온유. 성은 결혼을 축하하면서

복의 근원 하나님 아버지
온유를 이 땅에 보내 주시어 국가와 민족을 지키는 자랑스러운
대한의 빨간 마후라로 키워주심을 먼저 감사드립니다.
주님의 사랑 속에 자라온 온유가 매섭던 추위가 지나고 진달래.
목련이 아름답게 피어오른 따사로운 봄날 주님께서 택하여 주신
'성은'이와 한 몸 이루게 하심은 오직 하나님의 은혜입니다.
온유와 성은이 서로 배려하고 존중하며 모든 일에 사랑을 더하
여 부부로서의 道(도)를 이루어가게 하옵소서.
"네 집 안방에 있는 네 아내는 결실한 포도나무 같으며 내 식탁
에 둘러앉은 자식들은 어린 감람나무 같으리로다. 라는 말씀처럼
아들딸 낳고 아름답게 잘 키워 하늘의 별처럼, 바닷가의 모래알
처럼 생육하고 번성하며 활력이 넘치고 건강한 복된 가정 이루
어가게 하옵소서.
반석에서 샘물 나고 황무지에 꽃이 피게 하옵소서.
  무엇보다 더 하늘의 시민권을 가진 자로 하나님을 아바 아버지
라 섬기며 믿음으로 굳게 서서 말씀을 지켜 행하게 하옵소서.
온유의 이름처럼 내면적인 덕성과 인격을 잘 조절하여 쉽고 편
한 길이 아닌 옳은 길을 향하게 하옵소서. 인간적인 힘을 키우기
위한 승리 보다 섬김을 위한 길 택하게 하옵소서.
  불의와 사탄의 권세에는 당당하고 떳떳하게 대처하며 진리의
길을 걸어가므로 어두운 세력들이 물러가고 정의로운 사회로 변
화시켜 가는데 선도적인 역할 담당하게 하옵소서.

  사람이 마음으로 자기의 길을 계획할지라도 그의 걸음을 인도
하시는 이는 여호와시니라. 우리의 인생은 우리의 계획대로 되는
것이 아닌 하나님의 뜻대로 되어가고 있음을 믿습니다.

내 중심의 인간적인 방법과 지혜로 아무리 발버둥 쳐도 하나님의 룰을 벗어나면 모든 것이 허사로 돌아감을 생각하며 모든 행사를 하나님께 맡기고 의지하며 하나님 뜻에 순복하는 삶 살아가게 하옵소서.

피곤한 자에게 능력을 주시며 무능한 자에게는 힘을 더하시는 하나님. 고난은 내게 유익이라 잠시 받는 환난은 지극히 크고 영원한 영광을 이루게 하시려는 하나님의 깊은 사랑의 표현임을 믿습니다.

지금은 힘들고 지칠지라도 새로운 세상을 위해 준비해 주신 복된 축복의 길을 바라보며 지혜가 부족할 때마다 하나님께 구하며 입에서 기도와 찬양이 입술에서 감사가 끊어지지 않게 하옵소서.

슬픔을 기쁨으로 미워함을 사랑함으로 절망을 희망으로 염려, 근심을 자신감으로 이겨내게 하옵소서.

자비로운 하나님!

내일의 꿈 비전을 향해 전진하는 온유가 되게 하옵소서. 자신의 때를 기다리며 소망의 땅에 텐트를 치고 승리의 깃발을 꽂는 온유의 때가 오리라 확신합니다. 일어나라 빛을 발하라 이는 네 빛이 이르렀고 여호와의 영광이 네 위에 임하였음이니라. 하나님 영광의 빛을 온유에게 비추어주시어 아들의 얼굴에 광채가 나게 하옵고 그 빛을 온유가 만나는 사람들에 비추므로 온유의 손이 닿는 곳에 기쁨이 넘쳐나게 하옵소서.

 땅을 기업으로 받아 땅을 차지하며 화평으로 즐거워하게 하옵소서. 그가 너를 그의 깃으로 덮으시리니 네가 그의 날개 아래에 피하리로다. 그의 진실함은 방패와 손 방패가 되나니 모든 것은 하나님의 손에 있는 줄을 믿습니다. 온유의 삶에 깊이 개입하시어 이 가정을 지켜주시며 은혜와 평강을 벳푸시옵소서. 하나님께 존귀와 영광을 드리는 가장 되게 하옵소서.

- 2011. 4. 16 -

❋ 레바논으로 출국하는 성은이를 위한 기도

하나님 아버지

성은이가 유엔군 파견근무로 레바논으로 출국합니다. 국가와 민족을 위하고 국제 평화에 기여하기 위해 출국하는 성은이에게 국위선양의 책임을 완수하고 무사히 돌아오도록 보호 인도하여 주옵소서. 유엔군이라는 자부심과 사명감으로 주어진 임무를 성실히 담당하게 하옵소서. 제 역할을 꿋꿋하게 해 나가므로 세계 속에서 한국인의 위상을 높이게 하옵소서. 열방을 향해 꿈과 희망을 펼쳐 나아가게 하옵소서.

성은이가 유엔군으로 있는 동안 중동 분쟁이 완화되고 국제교류가 활성화되어 국가 간 협력이 증진되므로 세계평화가 구축되게 하옵소서. 살상의 전쟁과 코로나와 같은 전염병이 사라지는 강물 같은 세계평화의 시대가 열리게 하옵소서. 레바논은 중동의 뜨거운 기후와 이스라엘과 분쟁이 끊어지지 않는 나라로 수도 베이루트에서 대형 폭발 사고가 발생하는 등 생활하기에는 여러 가지 면에서 열악한 나라로 어려움이 예상됩니다.

모든 형편을 아시고 때에 따라 도우시는 하나님 아버지. 모든 염려 근심 주님께 맡기고 주님만 바라보게 하옵소서. 어려움을 이겨내는 굳건한 힘과 용기, 튼튼한 체력을 주시어 기후와 음식 그리고 습관이 다른 이국땅에서 잘 적응하게 하옵소서. 늘 함께 하시는 임마누엘 하나님, 도우시며 인도하시는 에벤에셀 하나님, 치유의 라파 하나님 성은이가 가는 곳곳마다 동행하시어 위험과 질병에서 지켜주시고 보호하여 주옵소서.

또한 다른 외국인들과 만남에 있어 언어가 소통되고 교류를 통해 원만한 관계를 유지하게 하옵소서. 특히 그리스도인으로서의 복음을 전하는 선교사로서의 사명을 담당할 수 있도록 뜨거운 성령의 불길을 부어주시어 성은이를 통하여 주님을 모르는 자가 주님을 영접하게 하옵소서. 이번 레바논 유엔군 파견근무가 성은 이에게 원대한 꿈을 펼칠 수 있는 자기 계발의 기회가 되게 하옵소서.

 하나님 아버지 1년간을 사랑하는 가족과 헤어져 살아야 하기에 외롭고 쓸쓸하리라 봅니다. 비록 한국과 레바논이 먼 거리지만 화상 전화 등 통신수단을 통한 대화를 통해 마음의 거리는 지척임을 느끼게 하옵소서. 이곳에 남아 있는 온유와 라엘, 무엘 이에게도 건강을 지켜주옵소서 성은이가 최상의 건강 상태를 유지하며 주어진 임무를 무사히 마치고 서로 건강한 모습으로 재회의 기쁨이 이루어지게 하옵소서. 또한, 병중에 계시는 구미의 어머니 곁을 떠나는 마음이 심히 힘들 것입니다. 위로하여 주시옵고 그 정성의 기도에 이른 시일 내 치유와 회복의 길이 열리게 하옵소서.

2021년 2월

레바논에서 송성은

※ 손자. 손녀의 탄생을 축하하며

☞ 수아 탄생을 축하하며

우리의 생명을 주장하신 하나님 아버지
주님께서 주신 선물 중 가장 귀하고 복된 선물 천하보다 귀한
생명 수아를 주심에 감사드립니다. 씨앗이 떨어져 떡잎이 나오듯
새로운 눈을 떠 신비로운 입을 열었습니다.
부모를 비롯한 좋은 사람들이 주변에 있게 하여 주시어 나날이
배움의 참된 양육 과정을 거치게 하옵소서. 바울은 심었고 아볼
로는 물을 주었으되 오직 하나님께서 자라나게 하셨듯이 시온이
와 순현이가 부모로서 수아가 행할 길을 잘 가르치게 하옵시며
하나님의 지혜와 은혜로 자라게 하옵소서. 독수리같이 교육을 시
켜 고난과 역경 속에서도 오뚝이처럼 일어서게 하옵소서. 노아가
셈과 야벳을 창대하게 하듯 시온이와 순현이가 수아를 위한 축
복의 기도가 넘치게 하소서 집에 앉았을 때든지 길을 갈 때든지
누워있을 때든지 일어날 때든지 하나님의 말씀을 강론하며 수아
를 잘 가르쳐 공손함으로 복종하게 하옵소서.

"粹娥(수아)"의 이름처럼 순수하고 어여쁜 모습으로 고운 말
따뜻한 눈빛과 미소로 온기를 훈훈히 나누는 사람 되게 하옵소
서. 열린 마음으로 자신을 알고 자신을 다스리며 질그릇의 역할
처럼 자신을 나타내는 것이 아니라 자신을 열어 예수 향기 그윽
하게 하옵소서. "룻"처럼 순종으로 신앙 전승의 대물림을 이어가
게 하옵소서 "리브가"와 같이 아리따운 모습으로 꿀벌 "드보라"
와 같이 남에게 유익을 주며, 이스라엘의 어미 "드보라"처럼 차
세대의 여성 지도자로서 어두움을 비추는 햇불이 되게 하옵소서
"요한나"처럼 헌신적으로 주님을 섬기며 "루디아"가 기도하는

중 바울을 만나 빌립보 교회의 초석이 된 것처럼 마음과 손을 열어 많은 사람을 주님의 길로 인도하게 하옵소서. "에스더"처럼 "죽으면 죽으리라"라는 믿음의 결단으로 선한 싸움 싸워 나아가 가정을, 교회를, 국가와 민족을 지켜나가는 역군이 되게 하소서

 하나님의 계획과 뜻이 아이의 삶 가운데 개입하시어 하나님의 사랑을 받으며 하나님의 기쁨이 되고 가정과 가문과 교회의 기쁨이 되어가게 하옵소서. '네 아들아 네 아비의 훈계를 들으며 네 어미의 법을 떠나지 말라' 말씀처럼 부모의 생활 지침에 순종하는 수아가 되게 하옵소서. 수아의 마음과 생각을 지켜주시어 오직 주님만을 바라보며 승리의 삶 살아가게 하옵소서. 주의 천사를 보내시어 수아를 항상 보호하여 주시옵소서.

-2011. 2. 11.-

사랑스런 첫 손녀 수아

☞ **"라엘" 탄생을 축복하며**

시편 144:12~15

먼저 "라엘"을 이 땅에 보내주신 하나님께 감사드리며, 온유.
성은 부부를 축하합니다. 특히 할아버지 할머니, 외할아버지 외
할머니를 비롯한 모든 가족 친지들께 이 아이가 기쁨이 되리라
봅니다. 요즈음 수아 그리고 라헬을 생각할 때마다 기쁨이 넘칩
니다. 내가 이처럼 기뻐하는 것 같이 하늘에 계신 부모님께서도
나를 낳으실 때, 손자를 보았을 때 기뻐하셨을 것입니다.

새 생명의 탄생은 우리의 기쁨입니다. 자녀는 하나님이 주신
최고의 선물입니다. 기업은 생산과 경영과 혁신을 의미합니다.
한 아이의 탄생은 그 집의 혈통을 이어갈 뿐 아니라 믿음으로
키울 때 하나님 나라가 더욱 확장되는 것입니다.

성경에 보면 아브라함은 나이 여든 살에 하나님을 향한 끈질
기고 변함없는 순종으로 귀하고 복된 기쁨의 근원이 되는 이삭
을 선물로 받았습니다. 한나는 하나님께 서원 기도함으로 이스라
엘 마지막 선지자 사무엘이라는 큰 인물을 출산하였습니다. 하나
님의 크신 은혜로 귀하게 태어난 "라엘"이 이 땅에 태어남을 축
하하며 다음과 같이 축하의 메시지를 전합니다.

첫째 : 지혜가 충만하기를 바랍니다. (누가복음 2:40)
아이가 갓난아이 시절부터 날이 갈수록 건강하고 지혜롭게 자
라며 하나님께 칭찬받고 사람에게도 칭찬받기를 바랍니다.

둘째 : 튼튼하게 자라기를 원합니다.
오늘 본문에서 다윗은 우리 아들들은 장성한 나무처럼 든든하
고 우리 딸들은 궁전의 모퉁이 돌과 같다고 하였습니다. 어려서
부터 교회 중심으로 양육하여 세상보다 예수님을 더 사랑하면서

모퉁이 돌처럼 꼭 필요한 제목으로 자라기를 빕니다. 13절 말씀과 같이 하나님께서 평생 그들의 곳간을 백곡으로 채우시고 그들 앞에 시온의 대로를 활짝 열어 열매 맺는 형통한 삶 살아가기를 바랍니다.

셋째 : 바른 길로 가기를 원합니다. (잠언 3:1~10)

"내 아들아"로 시작되는 잠언서의 교훈에 악을 떠나 하나님의 명령을 지키면 땅에서 장수하게 되고 예수님과 동행하는 삶을 살면 하나님께 은총을 받으며 사람에게 귀중히 여김을 받게 될 것이라 했습니다. 또한 범사에 여호와를 경외하면 영육 간에 강건하여지며 경제적으로도 풍요로운 삶을 살게 될 것입니다.

"라엘"이 평생 가는 길에 하나님의 도우심과 사랑 속에서 큰 복을 받기를 원합니다. 될 성싶은 나무는 떡잎부터 알 수 있다는 속담이 있듯이 어릴 적부터 부모의 좋은 영향력을 받아 잘 자랄 수 있도록 키워가야 합니다. 특히 자녀를 위해 기도해야 합니다.

이집트의 총리인 요셉은 노쇠한 아버지 야곱에게 손자를 위해 기도해 달라고 간청합니다.(창세기 48:15~16) 믿음으로 키우고 믿음을 유산으로 물려주는 요셉처럼 라엘을 위해 복을 빌어주는 부모와 할아버지 할머니가 되기 바랍니다.

"라엘"은 하나님의 크신 계획을 세우기 위해 이 땅에 태어났습니다. 하나님의 뜻이 어디에 있는지 깨달아 알아가며 양육하여야 합니다. 부모의 욕심을 충족시키려고 자녀를 자기의 주장대로 강요하여서는 안 됩니다.

우리네 인생은 만남에서부터 시작된다고 봅니다. 세상에 태어나 제일 먼저 만나는 부모를 비롯하여 스승 배우자 등 많은 사람과 만남의 관계 속에서 살아가게 됩니다. 우리가 누구를 만나고 누구와 관계하느냐에 따라 인생의 길이 행복과 불행으로 나

뉘면서 축복과 성공의 길이 될 수 있고 저주와 멸망의 길이 될 수 있습니다. 좋은 부모 좋은 친구 좋은 이웃과 만남은 우리 인생을 풍요롭고 복되게 합니다.

무엇보다 더 가장 좋은 만남은 바로 예수 그리스도와 만남입니다. "라엘"은 태어나면서 부모의 영향력으로 예수님을 만나게 되었습니다. 예수님은 "라엘"의 가는 길을 비추어 주시사 지켜주시며 보호하며 형통하게 하실 것입니다.

이사야 60:1 일어나라 빛을 발하라 이는 네 빛이 이르렀고 여호와의 영광이 네 위에 임하였음이니라

하나님의 극진하신 사랑 가운데 부모와 할아버지 할머니 외할아버지 외할머니 그리고 큰아빠인 시온 부부의 사랑을 받으며 이 아이가 갈수록 무럭무럭 자라 우리 가정에 기쁨과 생활에 활력소가 되어 가기를 소원합니다. 감사합니다.

- 2012. 6. 30 -

라엘

☞ 관우 탄생을 축하하며

생명의 근원 되시는 하나님 아버지

'너는 우연히 생긴 것이 아니라 너를 위해 정한 날이 내 책에 기록되었다.' 는 말씀처럼 관우를 이 땅에 보내심은 하나님의 크신 계획으로 관우를 귀히 쓰시고자 기묘하게, 보배롭게 지으셔서 보내주심을 믿습니다.

'될성부른 나무는 떡잎부터 알아본다'라는 말처럼 어려서부터 남다른 능력으로 장래성이 엿보이게 하옵소서. 하나님의 분깃 아래 지혜와 총명을 날마다 더해가며 자라게 하옵소서. 아이에게 파수꾼을 세워 사단의 올무에 걸리지 않도록 지켜주시어 관우에게 접근하려는 어떠한 부정적인 요소도 자리 잡지 못하게 하시오며 사고와 질병으로부터 보호의 울타리를 쳐 주시옵소서.

다윗처럼 믿음의 사람으로, 솔로몬처럼 지혜롭게, 모세처럼 온유함으로, 여호수아와 갈렙처럼 긍정적인 사고로 꿈과 희망을 품고 살아가게 하옵소서.

하나님의 은혜가 관우 위에 임하여 관우의 곳간이 백곡으로 채워지고 천천과 만만으로 번성하게 하옵소서. 눈을 뜨고 귀를 열어 하나님만을 바라보며 하나님의 말씀을 듣고 명령을 지켜 행하므로 하나님 앞에서 귀하게 쓰임 받고 모든 사람에게 유익을 주는 이 사회에 없어서는 안 될 귀한 사람으로 자라가게 하옵소서. 저희 가문의 자랑이 더 나아가 우리나라의 인물이 되기를 원합니다. 관우의 가는 길마다 항상 주님 동행하여 주시어 주님 영광 나타나게 하옵소서.

삶 속에서 어떠한 고난과 역경이 닥쳐와도 하면 된다 해보자는 자신감으로 우리의 방패이신 주님의 도움을 바라보며 주님만을 의지하게 하옵소서. 치졸하게 요행과 안락한 길을 찾아 악에 굴복하거나 타협하지 않도록 강인한 담력을 주시어 선으로 악을 이겨내게 하옵소서.

남을 다스리려 하기보다 자신의 위치를 찾아 자신을 먼저 다스리며 자기 뜻이 아닌 주님의 뜻대로 살아가게 하옵소서. 과거를 거울삼아 미래 지향적인 사고로 살아가게 하옵소서. 겸손과 온유로 소박함으로, 이웃을 배려하며 칭찬하므로 이웃 사랑의 본이 되게 하옵소서.

복의 근원이신 하나님 아버지

주님의 손이 함께 하사 관우를 창대하게 하옵소서. 하나님의 뜻을 드러내는 신실한 자로 사회와 교회에 꼭 필요한 인물이 되게 하옵소서. 시온 이와 순현이 부모로서 관우를 향한 하나님의 계획이 어디에 있는지 기도하는 가운데 하나님의 뜻에 따라 바른길로 양육하게 하옵소서. 관우를 통해 우리의 가정에 더욱 활력소가 넘쳐나게 하옵소서. 하나님 영광의 빛이 관우 위에 이르러 세세 무궁토록 기쁨과 감사가 넘쳐나게 하옵소서. 시온의 대로를 활짝 열어 열매 맺는 형통한 삶을 살아가게 하옵소서.

- 2013. 3. 7 -

최관우

☞ "무엘"의 탄생을 축하하며

하나님 아버지

모든 생명의 원천이신 하나님 아버지 신묘막측하게 하나님 보시기에도 너무나 귀하고 경이롭고 놀라울 정도로 특별하게 지으신 "무엘"을 보내 주심을 감사 드립니다. 무엘은 온유. 성은 부부의 기쁨이요 소망이 되며 저희 가정에 하나님께서 주신 최고의 선물입니다.

한나의 소원 기도를 통해 선지자 사무엘을 주셨으며 아브라함과 그의 아내 라헬의 간절한 소망을 이루어주시어 100세의 나이에 이삭을 탄생시킴과 같이 온유 부부의 소원에 응답하시어 "무엘"을 이 땅에 보내 주신 줄을 믿습니다. 하나님의 은혜로 태어난 무엘에게 믿음을 심어주고 믿음으로 키워 믿음의 유산을 물려주게 하옵소서. 세상의 지식과 지혜로 가르치지 아니하고 생명의 말씀으로 가르치고 양육하여 항상 하나님을 신뢰하고 하나님의 뜻을 따라 말씀을 이루어 나가는 하나님과 동행하는 삶 살아가게 하옵소서.

하나님의 사랑을 받으며 주춧돌처럼 꼭 필요한 재목이 되게 하옵소서. 하나님께서 "무엘"의 곳간을 백곡으로 채우시고 천천만만으로 번성하게 하옵소서. 무엘 앞에 시온의 대로를 활짝 열어 많은 사람을 위해 헌신 봉사하는 하나님께 쓰임 받는 귀한 일꾼으로 자라나게 하옵소서.

은혜의 하나님

하나님께서 '사무엘아' 라 사무엘을 부르시듯 '무엘'을 불러주시옵소서. 하나님의 부르심에 '내가 여기 있나이다. 말씀하옵소서. 주의 종이 듣겠나이다.'라고 적극적으로 반응하게 하옵소서. '순종하는 것이 제사 지내는 것보다 낫다.' 하듯이 순종하며 '기도하기를 쉬는 죄를 결단코 범하지 아니하리라'라는 사무엘의 선포처럼 사무엘의 영적 능력을 갖추어가는 신실한 믿음의 자녀가 되게 하옵소서

하나님께서 지켜주시고 함께하여 주시어 무엘이가 감람나무같이 튼튼하게 강하게 건강하게 자라며 날마다 지혜를 더하여 가게 하옵소서. 하나님의 말씀을 온 세상 그 무엇보다 더 중히 여기사 율례와 규례를 이스라엘에 가르치고 인도한 에스라처럼 복음의 천사가 되어 세상에 구원의 기쁜 소식을 전하게 하옵소서. 여호수아가 말씀을 앞세울 때 승리가 뒤따르는 것 같이 말씀을 통해 영혼의 힘을 공급받아 자신을 이기며 세상을 이겨나가는 승리의 삶 살아가게 하옵소서.

- 2014. 9. 1 -

최무엘

☞ **여준 탄생을 축하하면서**

천지 만물을 창조하신 하나님 아버지
저희의 바람에 응답하사 하나님의 뛰어난 걸작으로 여준이를 보내주시어 저희 가정의 혈통을 이어가도록 하여 주심에 감사드립니다. 여호와의 기업이요 태의 열매로 여준이를 이 땅에 보내심은 하나님의 크신 계획이 있는 줄을 믿습니다. 하나님의 분깃 아래 지혜와 총명을 날마다 더해가며 자라게 하옵소서. 아이에게 파수꾼을 세워 사단의 올무에 걸리지 않도록 지켜주시어 여준이에게 접근하려는 어떠한 부정적인 요소도 자리 잡지 못 하게 하시오며 사고와 질병으로부터 보호의 울타리를 쳐 주시옵소서.

천재는 노력하는 자를 이길 수 없고, 노력하는 자는 즐기는 자를 이길 수 없다는 말처럼 어릴 적부터 지속적인 노력과 모든 일을 억지로 하지 아니하고 즐겁게, 침착하게, 정성을 다해 타고난 잠재능력을 마음껏 발휘하게 하옵소서.

사랑스런 손자 손녀들

악에 굴복하여 뒷전에 물러서지 않고 선으로 악을 이겨내며 어떠한 난관에 봉착하여도 고난과 역경을 자신의 성숙을 가져오는 발판으로 삼아 용기와 자신감으로 승리의 삶 살아가게 하옵소서. 특히 이웃과의 관계가 깨어지지 않도록 그들의 허물을 감싸 안아 너그럽고 따뜻하게 대해주며 분쟁과 시기가 없이 서로 사랑하며 베풀수록 커지는 기쁨을 누리며 살아가게 하옵소서. 무엇보다 부모님을 공경하여 부모님의 마음을 편하게 해드리며 형제와 우애하므로 선하고 아름다운 모습 보이게 하옵소서. 여준이를 통해 우리 가정에 웃음꽃이 만발하게 하옵소서.

하나님 아버지!

믿음의 조상 아브라함처럼, 강력한 꿈과 비전을 이루어낸 요셉처럼, 민족의 지도자 모세처럼, 하나님의 마음에 합한 다윗처럼, 뛰어난 지혜의 왕 솔로몬처럼 여준이가 하나님의 귀히 쓰임 받는 도구가 되기를 원합니다. 심는 대로 거두는, 자기가 일한대로 자기의 상을 받게 됨을 생각하며 주어진 소명에 최선을 다하므로 하나님이 허락하신 복의 열매를 맺어가게 하옵소서.

- 2014. 11. 25 -

최여준

☞ 은아 탄생을 축하하면서

하나님 아버지 시온. 순현 부부가 하나님께서 주신 4번째 선물 은아를 잘 양육하게 하옵소서. 하나님의 보호하심과 인도하심 가운데 하나님의 능력의 손길로 지혜롭고 명철하게 자라나게 하옵소서. 배움의 길이 순탄하도록 좋은 스승을 만나며 좋은 영적 지도자를 만나 들려주신 생명의 말씀에 귀를 기울여 여호와를 경외하는 것이 지식의 근본임을 잃지 않고 살아가게 하옵소서.

이 아이의 주변에 방정하지 아니한 자, 노를 품은 자와 사귀지 말며 지혜롭고 마음이 따스한 자들과 동행하게 하옵소서. 항상 미소가 넘치는 따스한 모습으로 웃음꽃 만발하게 하옵소서. 무엇보다 부모님을 공경하여 부모님의 마음을 편하게 해드리며 형제와 연합하여 동거함으로 선하고 아름다운 모습 보이게 하옵소서

자기가 일한대로 자기의 상을 받게 됨을 생각하며 주어진 일에 최선을 다하므로 아름 열매 가득하게 하옵소서. 부모의 영향력이 미흡할지라도 끊임없는 자기 계발로 하나님께서 창조해 주신 본연의 모습을 조금도 잃지 않고 하나님의 뜻을 높이 드러내는 은아가 되게 하옵소서. 하늘의 빛이 은아의 얼굴 위에 비추어 밤하늘의 은하수처럼 아름다운 모습으로 빛을 발하게 하옵소서

최은아

- 2016. 8.. 31 -

'황혼의 로맨스' 수업 중에

남편에게 보내는 글

여보!

열여섯 번의 선을 보고 안 된다고 만류하시는 어머니의 반대를 무릅쓰고 오랜 기다림 끝에 저를 아내로 택하여 맞아주신 당신. 혈혈단신 시댁에 들어가 시작된 신혼.

가끔 근무시간을 틈타 집에 들러 돌아보고 아무 말 없이 다시 직장으로 돌아가는 당신이 그때는 그리 위로가 되었어요.

홀어머니와 육 남매의 장남으로 당신이 짊어진 삶의 무게가 얼마나 무거운지 미처 깨닫지도 못한 모진 삶으로 힘들고 어려웠던걸. 그래도 당신이 있어 잘 이겨내었던 것 같아요. 언제나 어느 때나 항상 나를 지지하고 믿어주었던 당신.

많은 나이에 시작된 대학 과정과 필요한 자격증 관련 수업 과정에서 늘 도와주고 뒷바라지를 아끼지 않고 성장하도록 배려해주어 정말 고마웠어요.

직장과 사회 속에서 활발하게 활동하며 보람된 인생을 보낼 수 있도록 해준 것을 생각하면 이 모든 것이 당신의 배려 덕분이라 여겨집니다.

때로는 나의 통곡의 벽처럼 명경반처럼요.

고난의 파고 속에서 힘들 때 하나님을 인격적으로 만나 험난한 외길을 걸어 자신과 싸움에서 이겨내고 주님의 일꾼으로 설 수 있었던 것은 그분의 은혜이지만 넉넉히 감당했던 당신이 너무 자랑스럽습니다.

앞만 보고 쉼 없이 달려온 인생의 여정 속에서 세월의 흔적은 우리에게도 비켜 가지 않아 병마로 쓰러져 아무것도 알지 못하고 할 수 없는 나를 밤낮으로 기도하며 돌보아 회복의 은총을 누릴 수 있도록 하여 얼마나 감사한지요.

아내가 회복될 수 있다는 희망을 가질 때 냉동실에 넣어 둔 언 떡을 먹으면서도 웃음을 잃지 않고 내 곁을 지켜주었던 당신을 생각하면 미안하고 고마워 눈물만 납니다.

우리의 삶이 이리 잠시 잠깐인데 때론 투정하고 화내고 지적했던 그것들이 후회됩니다. 아니 앞으로도 온전히 잘할 수 있다는 자신감이 없습니다.

그러나 당신이 가고자 하는 이 길에 이제 다소곳이 손을 잡고 그곳을 바라보며 걸어가고자 합니다. 나의 작은 손 작은 걸음이지만 함께하며 행복한 미래를 꿈꾸겠습니다.

언제나 그랬던 것처럼 희망의 꿈을 꾸며 걱정 근심을 거부하는 씩씩한 당신을 바라보며 힘을 얻도록 하며 그 이상의 것은 주님께 맡기겠습니다.

많은 수고와 애씀으로 자식들 그만하고 아직 남은 건강 더 많으니 당신도 이제 많던 짐 내려놓고 평안과 기쁨으로 주신 삶을 충만히 누리기를 원합니다.

주님 주신 평안으로 우리 자녀 손자녀 모두 구원의 백성 되는 것이 소망과 기도 제목으로 남은 삶 지금처럼 함께해요. 여보! 사랑해요! 감사해요!

사랑하는 당신께

아내에게 보내는 글

어머니의 병시중을 위해
동생들의 미래를 위해
두 아들의 뒷바라지를 위해
나의 위상을 위해
자신의 건강을 돌볼 틈도 없이
피와 땀과 눈물로 지내오다
어느덧 희끗희끗해진 머리
주름진 얼굴. 손을 바라보니
모든 것이 나로 인함이라 생각되어 울컥 눈물이 솟구치는구려
더욱 선거로 인해
주님의 뜻을 펼친다는 소명으로
나의 의견을 따르다가 중병에 걸려 사경을 헤맨 당신을 생각 할 때 가슴이 미어지는 아픔뿐이었소
이제는 무엇보다 우선순위가 당신뿐임을 자각하며
제주도 여행 때 케멜리아힐의 동백꽃을 가꾸어가는 모습처럼
당신의 마음 밭에 당신만을 위해 손과 발이 되어
향기로운 동백꽃을 피우게 하겠소.
당신을 향한 사랑의 흔적이 영원히 남으리라
사랑합니다.

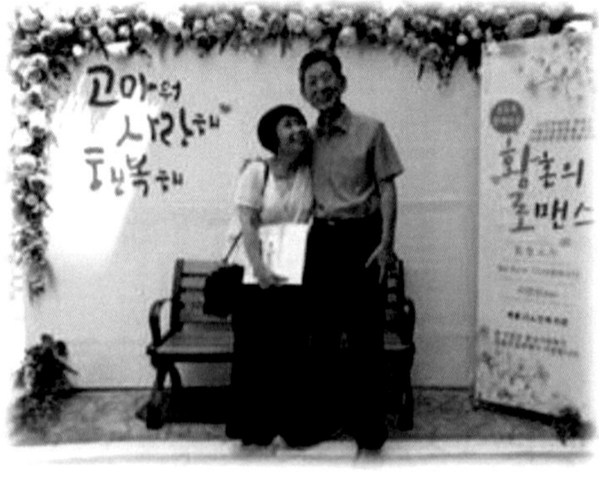

※ 아버지 학교에서

☞ 사랑하는 당신께

　오늘은 아버지 학교에서 아내에게 사랑의 편지를 쓰는 시간으로 지난날을 회상하며 당신께 글을 쓰려니 눈시울이 먼저 뜨거워지는구려. 요즈음 조그만 감정에도 내가 자주 눈물이 나오는 것은 아마 지난 고난을 이겨내고 이제 우리의 때를 주시는 하나님의 은혜에 감사드리는 기쁨의 눈물이라 생각되는 거요. 당신의 간절한 기도는 힘들고 지칠 때마다 하나님의 손길을 염원하는 눈물의 기도였고 나는 그 눈물의 기도로 인해 새로운 삶을 살아가는 감격의 눈물인가 보오.

.... 중략 ....

　엊저녁에 광주에서 내려오다 김기석 후배의 엄마를 만나 대화를 나누는 중 장인과 초등학교 동창이라 하시면서 담배를 받으려 우리 집에 오가면서 당신이 어린애들을 데리고 장사하며 병든 어머니를 극진히 모시는 것을 보고 감동하였다고 말씀하셨소. 미암면 담배 하치장을 하면서 매 주일 담배 파수 날마다 당겨 써버린 담배매입대금을 구하려 이리저리 애쓰며 사정해야 했던 지난날을 생각하니 당신께 정말 미안하기 그지없소. 그래도 담배 판매가 우리 집의 큰 소득이 되었기에 우리의 생활고를 해결하는 자원이 된 것이요. 아무튼 이 모든 물질의 고난을 극복해 나감은 당신의 땀과 기도 열매라 생각하며 당신과 하나님께 감사드리오.

　위기의 순간마다 하나님께서 우리 가정에 역사하시어 살아 계시는 하나님을 확실히 보여주셨기에 정말 이제는 고난의 연단 과정을 통한 정금 같은 믿음으로 다시는 주님 곁을 떠나지 않겠음을 하나님과 당신께 맹세하겠소. 당신의 눈물로 뿌린 씨앗에 이제 기쁨으로 열매를 거두는 우리가 되리라. 이제는 거룩한 삶, 은혜로운 삶 이어 가리라.

아버지 학교에 다니면서 찬양 인도를 하는 젊은이들의 표정이 밝고 고운 얼굴이어서 너무 부러웠소. 이 나이에도 드럼이나 기타를 배울 수 있다면 정말 배우고 싶은 욕망이 생기는구려. 우리 아들 시온 이와 온유도 이 젊은이들처럼 아름다운 표정으로 살아갔으면 하는 바람이오. 요즈음 난 매일 기도하는 제목들이 있소

나의 일그러진 모습을 버리고 항상 웃는 모습의 나, 상대 눈 속의 티보다 내 눈 속의 들보를 보는 마음으로 남을 비판하지 아니하며, 상대에게 희망과 기쁨을 주며, 나로 인하여 우리 직원들에게 조금의 스트레스도 받지 않도록 하며, 내가 상대의 작은 기적의 표적이 되기를 바라는 기도와 당신과 내가 이 지구상에 가장 행복한 부부가 되기를 바라며 시온이가 유명한 직장에 취직되는 것보다 하나님을 잘 섬길 수 있는 직장으로 취업하도록 기도하며 온유는 더욱 담대함으로 국가와 민족을 위한 큰 일꾼이 되기를 기도하는 거요

어느 날 당신이 나에게 메일로 보낸 글 중에서 "정말 가치 있는 삶이란 주님의 말씀에 우리의 현 상황을 어떻게 반추해야 하는지 생각해 보며 아직은 손에 주어진 것 없으나 우리에게 주어진 하나님의 섭리하심과 그에 따른 인도를 믿기에 아무리 어려운 현 세상의 흐름일지라도 평안한 마음으로 우리 부부가 이겨 내자"라고 격려한 나의 길잡이 당신이 있기에 나 또한 세상을

이겨나가고 있는 것이오.

　이번 아버지 학교에서 아내가 사랑스러운 20가지를 써보라고
하여 적어보는데 한 가지 한 가지 적을 때마다 왜 그리 당신이
고맙고 감사한지요. 힘들었던 고난의 과정이 정말 아름다운 추억
으로 남아 우리를 행복의 길로 안내하는 거요 생각해 보면 생각
할수록 얼마나 당신이 나를 위하는 마음을 가졌는지 당신의 온
기가 새삼 느껴지는구려. 내 비록 내성적인지라 사랑의 표현은
서툴지라도 내가 얼마나 당신을 사랑하는지 오늘 이 시간을 통
해 당신께 더욱더 깊어져 가는 참사랑을 보내오. 내 생명보다 더
소중한 당신 내 행복한 삶의 근원이 되는 당신 바다보다 깊고
하늘보다 높은 당신의 사랑을 느끼며 들꽃처럼 강인하면서도 은
은하게 향을 품어 내며 살아온 당신이기에 여기 들꽃 한 송이를
당신께 바치며 행복의 허깅을 하리라(hugging) 이 밤도 안녕을
2007년 10월 26일
깊어가는 가을밤에 당신의 동반자

아내의 학창 시절

☞ 나의 사랑하는 장남 시온에게

　새벽녘에 비가 내리더니 날씨가 쌀쌀해지는구나. 어제 너의 전화를 받고 내심 마음이 흐뭇하더구나. 면접을 보고 또 떨어지면 네가 행여 좌절하지 않을까 염려가 되었는데 네가 하는 말이 다른 친구들은 1차 시험에도 합격 못 하는데 나는 여러 곳을 1차 시험에 합격했으니 다행이라고 말하는 여유 있는 모습에 안도가 되는구나. 조마조마한 마음이 아닌 여유 있는 성격임을 칭찬하고 싶구나. 그래 우리 집의 가훈처럼 최선을 다하고 결과는 하나님께 맡기는 거다. 옛말에 새옹지마라는 말이 있듯이 비록 당장은 뜻대로 되지 않으니까 힘들지 몰라도 더 큰 축복이 기다리고 있음을 깨달아야 한다.

　귀하고 보배로운 선물을 그냥 쉽게 주시지는 않는 거다. 조바심 내지 말고 차분한 마음으로 준비하여라. 미암 촌구석의 중학생이 열심히 공부한 보람으로 목포고등학교 입학, 고대경영학과 입학, 카투사 재대 등 모든 일이 너의 뜻하는 대로 되어 행여 자만해질까 봐 염려되었다. 이번 취업 문이 쉽게 되지 않는 것은 너 자신을 되돌아보는 기회를 주기 위함인지도 모른다. 급하게 마음먹고 아무 곳이나 취업하다가 적성에 맞지 않아 중도에 그만두고 다시 준비하는 사람들을 많이 보았다. 조금 더 지켜봐 가며 준비를 하면 때가 되면 우리 하나님께서 너에게 큰 선물을 주시리라 확신한다.

　이 아빠가 믿음이 부족했을 때는 기회 있을 때마다 우리 시온이가 좋은 일류기업에 취업하게 해 달라고 기도를 했는데 요즈음 아빠가 엄마의 눈물 기도로 기적적으로 병의 치유를 받아 진실하신 하나님의 세계를 깨닫고 변화되어 새벽마다 기도하는 가운데 "하나님 나의 사랑하는 장남 시온이가 성격 등 여러 가지 측면에서 잘 적응할 수 있는 직장, 하나님을 더욱 잘 섬길 수 있는 곳으로 취업하도록 길을 열어주시옵소서." 하는 거다.

네가 부자가 되고 출세하며 큰 명예를 얻는 것을 바라는 것보다 네가 즐기며 기쁨으로 일하며 가능한 한 억눌려 일하는 것보다 조금 자유스러운 분위기에서 무엇보다 하나님을 우선순위에 두고 살아갈 수 있는 그런 직장을 구하기를 바라는 마음이다. 오늘 새벽에는 목사님께서도 너의 취업 문이 열리게 하여 주시옵고 믿음이 더욱 장성하게 해 달라고 기도하시더구나. 물론 아빠 엄마의 기도와 목사님의 기도도 필요하지만, 무엇보다 너 자신의 기도가 가장 중요하다고 생각한다.

오는 4일에는 너의 친구 창현이가 결혼한다고 하니 너도 이제 결혼 적령기가 되었나보다 우리 시온이가 아장아장 기어 다니던 때가 엊그제 같은 데 이제는 장성하였으니 머지않아 결혼하여 아빠가 손자도 보면서 너희들의 행복하게 살아가는 모습을 상상해 본다. 남들은 베짱이처럼 즐기면서 현재에 만족해하는데 너는 미래를 준비하기 위해 오늘도 힘겨운 나날을 보내고 있으니 이 아빠가 너에게 힘과 용기를 주기 위해 너에게 축복기도를 하면서 이 글을 마무리한다. 머지않아 나의 장남 시온이가 이 넓은 세상에 새로운 웅지를 펴고 힘차고 당당한 모습으로 시온이의 때를 맞이하리라 생각한다. 우리 가정의 주춧돌 시온아 사랑한다.

여호와는 네게 복을 주시고 너를 지키시기를 원하며 여호와는 그 얼굴로 네게 비취사 은혜 베푸시기를 원하며 여호와는 그 얼굴을 네게로 향하여 드사 평강 주시기를 원하노라.

- 민수기 6:24~26 _

2007년 단풍잎 곱게 물든 가을날에 아빠가

☞ 나의 보배 온유에게

가을비가 내리니 날씨가 추워질 것 같구나. 다음 주부터 2차 비행 훈련에 들어가 고생하게 될 너를 생각하니 마음이 찹찹하구나. 옛말에 젊어서 고생은 사서도 한다는데, 지금은 비록 힘이 들지라도 나이 들어 정말 아름다운 추억이 되는 거다. 지금껏 힘든 모든 생활을 인내로 이겨왔기에 나머지 훈련에서도 담대함으로 이겨내리라 확신한다. 우리 주 하나님께서는 온유의 가는 길을 아시나니 축복의 길로 인도해 주시리라 믿는다. 이 아빠는 네가 이 세상에 태어날 때부터 큰일을 하리라는 예감을 가졌고 지금도 그 생각에는 변함이 없는 것은 어쩜 하나님의 보이지 않는 계시가 있는지도 모르겠다. 희망과 용기를 갖고 목표를 향해 도전하면 반드시 이루어지리라 확신한다. 유머 있고 여유 있는 너의 모습에 이 아빠는 항상 만족이다. 단 조금 적극성만 채워 준다면 이 아빠는 바랄 것이 없구나.

환경 좋은 도시에서 너를 공부시키지 못했음에도 좋은 성적을 거두었으며 부모의 부담을 덜어 주기 위해 공군사관학교를 선택함에 네가 고맙기도 하지만 한편으로 아쉬움도 있구나. 부모의 처지에서는 편한 것 같으면서도 네가 힘든 군 생활에 과연 잘 적응해 나갈까 염려를 하였다. 더욱 이 아빠가 향토방위병으로 편히 근무하였는데, 현역 복무하지 못한 몫까지 네가 하는 것 같은 느낌이 들더구나. 아무튼, 너의 선택은 너의 선택이 아니요. 너를 쓰시기 위한 하나님의 선택이라 생각하며 하나님께 감사드린다.

온유야

가끔은 내가 너를 좀 더 강인하게 키워 고난을 이겨나가는 힘을 길러 주지 못함이 느껴지더구나. 이 아빠가 아버지의 사랑을 많이 받지 못하고 성장하였기에 너희들만큼은 곱게 키우고 싶어서 아마 매를 들지 않았는지도 모른다. 독수리가 절벽에 집을 지어 새끼를 절벽에서 떨어뜨려 날아갈 수 있도록 하는 것 같이 너희들을 키워나가야 하는 건데. 사랑의 매로 너희들 앞길을 열어주는 것을 미처 생각하지 못함인 것 같다. 그런데도 네가 열심히 공부하고 사회에 잘 적응해 나가며 특히 힘든 사관학교에 가서도 고된 훈련을 이겨내며 좋은 성적을 거두기에 세상 사람들의 눈에는 나의 부족한 부분이 감추어지고 부끄럽지 않은 아빠로 비추어지는 것 같구나. 이 아빠는 장남으로 태어나 그 어려움 속에서도 어쩜 너희들보다 더 너의 작은 아빠, 고모들을 걱정하고 고달픔을 함께 하였다. 작은 아빠가 이제 머지않아 관광학 박사가 되고 작은고모가 금융 감독원에 근무하고 있는 것은 이 아빠가 나 자신보다 고향을 지키며 형제 사랑을 위해 노력한 보람이라 스스로 생각하며 비록 지역농협에 근무하고 있을지라도 조금도 후회하지 않았다. 농협중앙회 간부 환직고시에 합격할 자신도 있었으나 만약 합격하면 전국을 다니며 근무해야 하기에 가정과 동생들을 생각하여 나 자신의 길을 포기하기도 하였다.

먼 훗날 나의 형제들이 또한 너희들이 이 아빠를 생각할 때에 이 아빠가 형제간에 우애 있는 일을 하였노라 평가받고 싶구나. 이처럼 어쩜 너희에게 앞서 형제들을 먼저 생각하다 보니 너희들에게 관심이 소홀했음도 느껴 본다. 아빠가 초등학교 다닐 적 너희 할아버지, 할머니께서 지나가는 나그네를 잠재워 주시며 극진히 모신 것을 그때는 이해 못 하였는데 이제 장성하여 그 의미를 깨닫게 되더구나. 가진 자는 나눔을 통해 하나님을 기뻐하시게 하며 이웃 사랑하기를 내 몸과 같이 하라는 우리 주님의 말씀을 항상 간직하며 생활하자구나. 시온 이와 온유를 지켜보면서 너희들이 서로 사랑하며 살아가고 있음이 너무 흐뭇하다. 아빠가 네 이름을 작명할 때 하나님께 기도하면서 좋은 이름을 지어 달라고 기도하였다. 그 결과 네 이름을 "온유" 라 했는데 성경에서 말하는 온유는 어떤 힘이 잘 조절된 내면적인 덕성과 인격을 말한다고 한다. 원망과 불평을 늘어놓은 이스라엘 백성에게 모세는 끝까지 온유함으로 대하였기에 하나님께서 모세를 인정하시고 그를 높여 주신 거다. "온유한 자는 복이 있나니 저희가 땅을 기업으로 받을 것이요" 위의 주님 말씀처럼 주님의 온유함을 본받은 온유가 되기를 축복한다. 지난 월요일에는 네가 추석에 아빠 양복을 사주어 새 옷 입고 출근을 하니 아빠 스스로가 입가에 미소가 넘치더구나. 보는 사람마다 양복이 어울린다고 하며 얼굴이 많이 좋아졌다고 하더구나. 우리 온유가 아장아장 기어 다니던 때가 엊그제 같은 데 이제 월급을 받아 아빠 양복을 사주었으니 너무나 행복하구나.

　머지않아 너도 결혼하여 아빠가 손자도 보면서 너희들의 행복하게 살아가는 모습을 상상해 본다. 언젠가는 온유의 때가 오리라 확신하며 너에게 축복기도를 하면서 이 글을 마무리한다. 나의 사랑 온유야 사랑한다.

깊어가는 가을밤에 아빠가

1986 年 4月 28日
父 書

장인께서 사위에게 안부를 살피며 사위가 추진하고 있는 점포, 양식장, 당구장, 전답 등을 세심한 계획을 수립해서 착오 없이 운영하기를 당부하며 특히 원거리를 위험성 많은 오토바이로 출퇴근하므로 서서히 타기를 당부하는 애정 어린 편지

장인 미암초등학교 재직시

장인 장모 에버랜드 관광

장인 회갑연 (4형제)

❄ 가족 편지

☞ 동생 최희정 편지

오빠

걱정 마세요 잘 되겠소

이 보잘 편지에 기쁜 소식을 전할 수 있도록 나에게

행운이 깃들길 바랄 뿐입니다

그럼 임무에 충실하시고 건강 하세요

80. 11. 06

동생 희정

☞ 누나 최귀순 편지

동생 귀선이

너와 이별한지도 한달이 지나구나

너의 편지 반가히 받아 보았구나

귀선아 어떻게 지내고 있느냐 이 지독한 구렁

는 너를 멀리 놓고 떠나와서 살고 있구나

버리면 이렇게 보고파 지는지 거리에 와서

는 학생들만 보면 꼭 너라고 바라고 바라

보고 한없이 있어서 고생하루도서 행복한

길을 찾아 내주기 ... 귀선이 ... 라

시든 비비다를 생각할때 엄마나 불쌍하시는

지 엄마는 너를 바라면서 그렇게 모진 고생하

신단다 ... 깨달이 학업에 열중하였으

아무도록 ... 살기 보다 더 낫다구나

지독한 구렁이에서 벗어져 이구나 ...

지금 ... 안 ... 이제서도

... 그리고 ... 편지를 ... 편지도

오기도 안고 엄마도 ...

아무도록 ... 엄마 고생을 ...

☞ 동생 최문용 편지

형님 영철께.

그간 안녕하셨지요.

저는 父가 慶北에 入學해서 學業에 충실하고 있읍니다.
지금은 二學期 中間考査가 시작됐고 各. 會社에 원서를
제출 試驗準備中입니다.
先月에서 나온 金敎授님가 나나 慶北께 맞게 왔어요.
여본 주면 個人別로 面接과 필기시험이 있읍니다.
金敎授님이 추천해주신 前에 여러 會社에 試驗은 볼까 합니다.
제상하는 직종은 金融과 貿易業인데 바라 釜山에 友, 永有인은
中小企業에서 ♡♥ 종립니다.

☞ 최미순 누님 편지

- 222 -

☞ 어머니(노동여)의 편지

1970.5.8. 어머니날 수상 기념

다정한 벗들의 편지

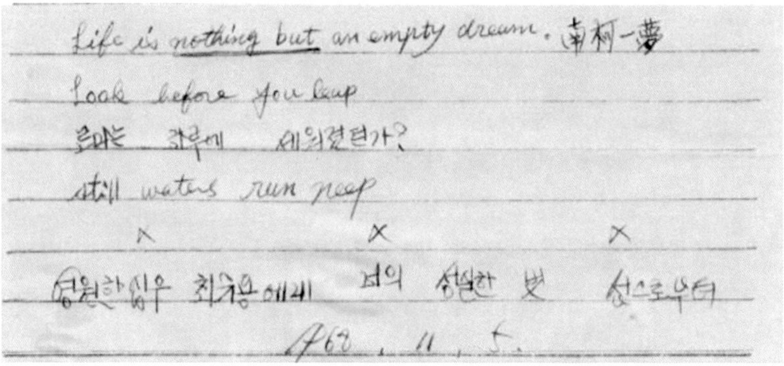

Life is nothing but an empty dream. 南柯一夢

Look before you leap

르마는 과루에 세워였던가?

Still waters run deep

×　　　　×　　　　×

영원한 벗우 최규홍에게　너의 성실한 벗　성스로우터

'63. 11. 5.

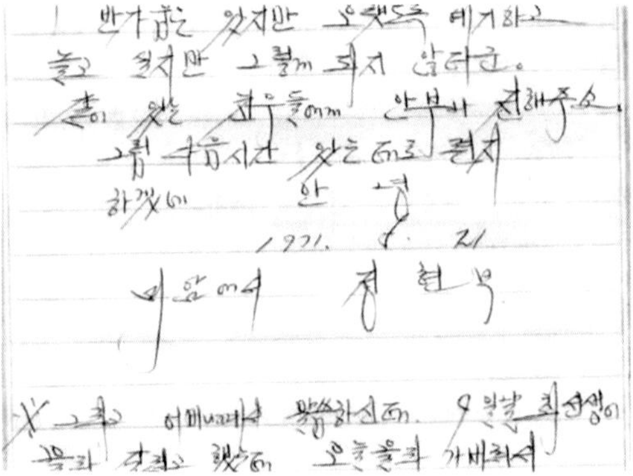

반가운 것지만 오랜동안 네가와느
늘 것지만 그뿐에 되지 않더라.
그이 있는 과루들에게 안부나 전해주소.
그럼 주시간 왔는대로 편지
하겠에　안녕

1971. 8. 21

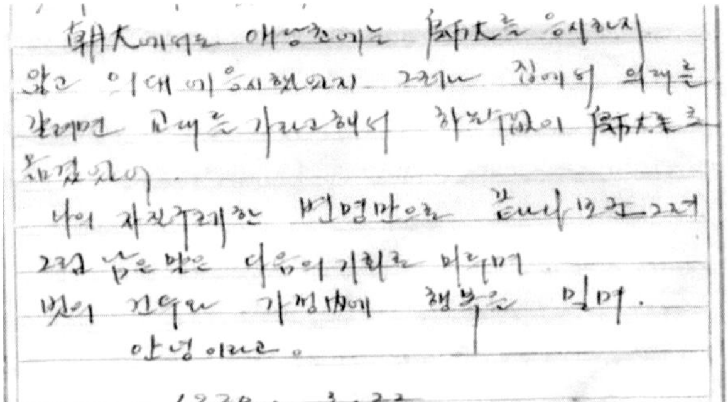

에숨에서　정현우

× 그후 어머니께서 별세하신다. 9월날 최선생이
폭과 자기 했다 오늘을과 가배최여

朝大게서나 애송초에는 兩재大를 응시하지
않고 이대 에응시했었지 그러나 집에의 의겨는
갈레면 교대는 가라고해서 하찔原의 兩大를
報겠있어.
나의 자친구리는 병명만으로 끝나비보고 그려
그러 남은 받은 다음의기회로 미루며
벗의 건우라 가정에 행복을 밀머.
안녕 이라으.

1970. 3. 22

최새에서　최재

김봉섭. 최정현. 임흥근의 편지

그것도 여의치 못하고 하여 우리회사에서
접대용으로 사용하는 티켓을 하나 보내니
자네가 돈은 그금모래서 신랑 하나 사신길 바라네
아무쪼록 건강하고 항상 즐거움이 자네나
자네 가족에게 함께하길 바라겠네
그럼 우리 사월에 회후하세나
　　　　　김 철 수

김철수 친구의 편지

다음 10월 15일 시행하는 '5급 행정직
(공무원시행)에 응시하는것이 좋을것같다
하니 너의 의견은 어떤지?
만약 합격이 된다면 서울에의 아니 대학으
다닐수 있으니 말이다
이번 추석철에 내려왔다 갈려지?
자세한 이야기를 ...

최재선 형님의 편지

무슨 팔자가 이렇게 개팔자인지. 하루종일
돈을 세네. 지문이 닳아 빠질 정도라면
알만 하제? 목포에서 올라온 돈은 왠놈의
생선냄새가 그게 고약스런지 머리가 아프네.
하루에 내가 세는 돈이 무려 사백만원 --
시집을 안갈려고 했다가고 만사가 귀찮아
말해는 "어휴. 시집이나 가 버릴까 부다"
고 꿀꿀 나를 욕하네.

조정남 동생의 편지

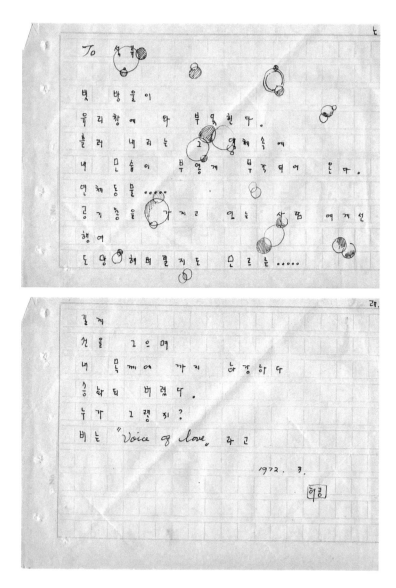

학창시절 아내의 글

삶의 이야기들

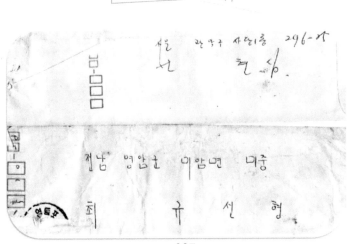

캠코더 비디오 (1980-90년대 가족영상외 70여 편 소장)

시온 미암초 졸업식	미암초 25계 모임	우암회 관광
학산농협 장수대학	미암초 운동회	미암교회 성탄절
미암농협 장수대학	전주최씨 시제	학산농협 임원 만리포
동아인재대학 졸업식	신현옥단방요법	미중마을 여행

농협 재임시 편집된 미암, 학산, 삼호, 금정 농협 소식지 중에서

앨범

아내의 미소

행 복 한 나 날

시온 온유 어린 시절

미암면민과 함께

조수행 장로장립 예배	번영로 교회 설립 예배
김성일 (전) 공군 참모총장	야외 예배 (대청호)
야외 예배(서천 갯벌)	야외 예배(대천 콘도)

번영로 그리스도의 교회

| 예배 후 | 금융감독원 찬양팀(최희정) |

| 행복한 밥상 | 천상의 정원에서 |

| 김문하. 조수행. 김영채 | 야외예배(계백장군 유적지) |

그리스도의 교회 대진. 충청지방회

동역자님들과 함께

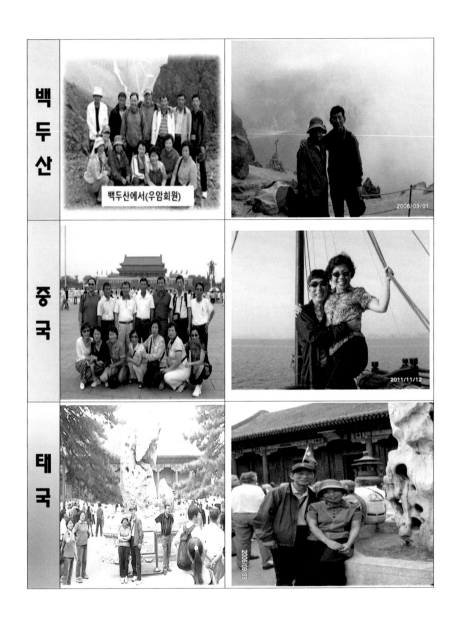

백두산에서(우암회원)

해외여행

싱가포르	
호 주	
일 본	

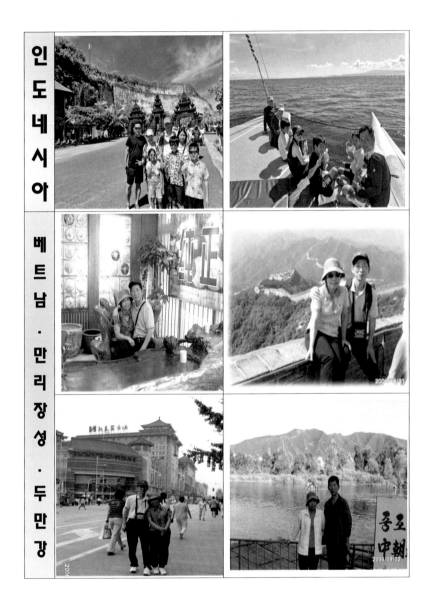

인 도 네 시 아

베 트 남 · 만 리 장 성 · 두 만 강

미 암 농 협

학 산 농 협

삼 호 농 협

농협시절

월출산 천황봉	설악산
주봉마루길	초암산 / 미륵산
미암산악회	계룡이편한산악회

그리운 동료들	현대구룹 정주영회장

전남경찰청장 시상	자원봉사	다정한 친구들

경찰서 지구대 교육	목포두란도 아버지학교

행복	인도네시아 발리악단 칠순 축하 연주
싱가포르국제학교 연주회	사랑	유명인사와 함께
대한항공 부기장 입사기념	문중 시제

장모님을 모시고

장인 회갑연

신만탁 회갑연

부산 사돈과 처남. 처제

| 미암교회 권사 임직 | 노동인 (외숙부부)와 이모 |

| 강은지 결혼 | 큰조카 김성민 | 김대근 부녀 |

| 복산 가족 | 올케와 시누이 |

복산(덕) 자녀들

뭔가 오래된 가정집 같으면서도
엄청 넓은 실내인데요

아빠말로는 굉장히 오래된곳이라고
소문도 많이나서 주말에는 사람이 엄청 많다고 하시네요 ^^

저만 모르고 영암에서는 이미 유명한곳인가봐요 ^^

멋진 정원 맛의 향연
[전남 영암] 현지인이 추천하는 맛집
목원가든 최종순

최문용(표순례) 결혼식　　최미순(김순진) 결혼식

1980년 결혼 40년 후의 리마인드 웨딩

최규용(신현심) 결혼식　　최종순(주월선) 결혼식

계룡시청	계룡시의회
계룡상록어린이집	계룡도서관(계룡학)
계룡노인복지관 다소니	계룡소방서

5월 5일 어린이집 방문

계룡도서관(길위의 인문학)

계룡노인지회 한아름봉사단

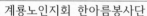

계룡보훈 회관 전적지 순례

계룡 탁구협의회

마을리더 아카데미

신도안 건양대 평생교육센터

계룡문화 예술의 전당 전시회

파크골프 늘봄 클럽

독수리 사형제(늘봄)

'계룡 함께 가는 길' 출판 기념

1366 전국 상담원 대회

여성 폭력 네트워크 강화 프로그램 (아우름)

한국여성 수련원

보고 싶은 어머니(노동여)

미암그리스도의 교회에서

어머니 장례식

최희운. 노동인	어머니 모시고

최문용 지인들

최미순(누나). 최규용	최미순. 최문용(동생)

커여운 손자 손녀들

젊은 날의 스케치

학창시절

어린 시절

친구들

아내의 취미 활동

카운슬러자격증

성 명 신 현 심
주민등록번호 560417-2069517

한국인간교육원 정관 제4조 및
시행세칙 제22조의 규정에 의하여
위의 자격이 있음을 인정하고 이
증서를 수여함.

2001년 05월 19일

한국인간교육원
회장 류 달 영

요양보호사자격증

성 명 신현심
주민등록번호 560417-2069517
주 소 전라남도 무안읍 00-1
급 수 1급

위 사람은 노인복지법 제39조의2 제2항 제1항에
따른 요양보호사의 자격이 있음을 인정함

2008년 08월 25일

전 라 남 도 지 사

제 2021-0901-003 호

자 격 증

자격종목 : 심리상담사(2급)
성 명 : 신 현 심
생년월일 : 1956.04.17.

위 사람은 한국평생교육문화진흥회가 인정하는 심리상
담상담사 2급 교육훈련 과정을 성실히 이수하고 소정
의 자격시험에 합격 하였으므로 본 자격증을 수여합니
다.

2021년9월9일

한국평생교육문화진흥회

수료인증서
A Family Violence Counselor

성 명 신현심
생 년 월 일 1956.04.17
자 격 가정폭력전문상담사
자 격 번 호 05-86-69

위 사람은 가정폭력 방지 및 피해자 보호 등에 관한 법률 제5조의3항 동법
시행규칙 제3조에 의거하여 가정폭력전문상담사 교육과정 총100시간을 본
법인 교육원에서 모두 이수하였기에 이 수료증서를 드립니다.

2005년 11월 11일

社團法人 韓國靑少年保護財團
代表理事 卜 相 海

수 료 증

성 명 신 현 심
주민등록번호 560417-2069517
과 정 청소년상담사
교 육 기 간 05.9.5 ~06.6.17
이 수 시 간 90시간

위 사람은 본 대학교 평생교육원에서 위 과정을 수료
하였음을 증명합니다.

목포대학교평생교육원장 철학박사 김 승 현

위 증명에 의거하여 본 증서를 수여함

2006년 7월 00일

목포대학교총장 이학박사 임 병 선

자 격 증

성 명 신 현 심
주민등록번호 560417-2069517

위 사람은 본 단체의 자격시험에 응시하여
관련 과정 4년 8개월을 이수하여서 이정규과정을
제2급의 자격이 있음을 증명합니다.

2007년 2월 17일

한국사회복지아이보디경영상담학회

수료인증서
Sexual Violence Counselor

성 명 신 현 심
생 년 월 일 1956.04.17
자 격 성폭력전문상담사
자 격 번 호 05-85-80

위 사람은 성폭력 범지의 처벌 및 피해자 보호 등에 관한 법률 제23조3항
동법 시행규칙 제3조에 의거하여 성폭력 전문상담사 교육과정 총64시간을
본 법인 교육원에서 모두 이수하였기에 이 증서를 드립니다.

2005년 10월 29일

社團法人 韓國靑少年保護財團
代表理事 卜 相 海

사랑하는 아내의 땀 방울들

우리집 가계도

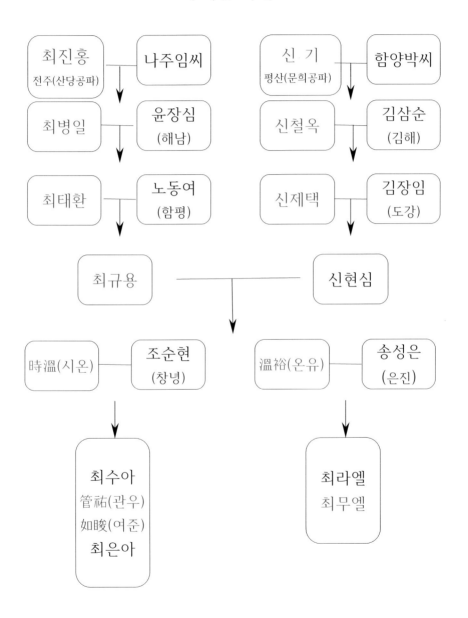

가계도(최규용 가족)

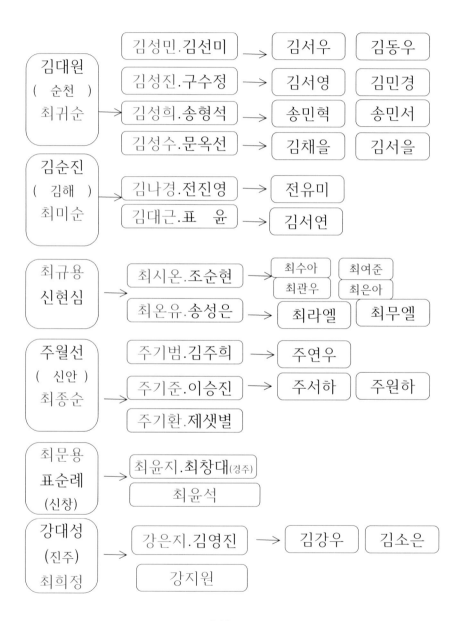

편집을 마무리하며

그동안 저희 부부를 위해 격려해 주시며 후원해 주신 분들을 생각하며 한없이 감사하나 보은의 기회를 얻지 못하였습니다. 오직 한분 한분 이름을 부르며 주님께 이들을 지켜주시며 만복을 주시기를 기도합니다. 또한, 돌이켜보면 저희를 힘들게 했던 분들도 그들을 통해 저희의 부족함을 깨닫게 하며 주님께 가까이 가도록 하는 도구 의 역할을 담당한 줄 이해합니다. '형제가 연합하여 동거함이 어찌 그리 선하고 아름다운 고' 말씀처럼 인생 칠십 길에 들어서 남은 인생 겸손한 자, 낮은 자, 섬기는 자로, 옥합을 깨뜨린 여인처럼 헌신의 기쁨으로 누구와도 허물없이 어깨동 무하며 주님의 나라를 이루어 가렵니다.

인간으로서 모든 것을 다 누려본 솔로몬은 '헛되고 헛되도다. 모든 것이 헛되도다.'말하면서 하나님을 경외하고 그의 명령을 지키는 것이 사람의 본분이라 했습니다. 우리가 의지하며 도움을 구할 곳은 천지를 지으신 오직 하나님뿐입니다. 백발이 되어도 우리를 품어주시며 안아주시겠노라 하신 주님 사랑 안에서 다정한 벗들과 손에 손 잡고 젊은이 못지않은 열정으로 신나는 인생 살아가도록 인도해 주시기를 간구합니다.

끝으로 저희 삶의 흔적이 자녀들과 이웃들에게 조금이라도 도움이 되기를 바라며 이 글을 읽으며 격려해 주시는 모든 분과 자서전 출판에 도움을 주신 이정현(무공수훈자회 계룡시지회장) 님께 감사드립니다.

들꽃처럼 아름답게
들꽃처럼 강인하게
들꽃처럼 향기로운 냄새 풍기는
그리스도의 향기 가득 날리며 살아가게 하옵소서.
오늘도 주님께서 저에게 뭐라고 말씀하시는지
내 안에 모든 문제를 주님 안에서 생각해 보며
주님 안에서 해결 방법을 찾아
주님 안의 삶을 통해 주님을 나타내게 하옵소서

이제는 객석에 앉아 있는 구경꾼이 아니라
무대의 주인공으로 참여하려는 적극적인 모습으로
하나님의 거룩한 목적에 자부심을 품고
99%가 아닌 100% 완전히 하나님을 사랑하는
마음으로
하나님께서 저에게 주신 시간과 힘을 쏟아
모든 일을 기뻐하며 선을 행하며
사랑하는 벗들과 황혼의 멋진 인생
살아가게 하옵소서.

-기도문 중에서-

도서명 | 아름 바위
발 행 | 2024년 06월 14일
저 자 | 최규용. 신현심
펴낸이 | 한건희
펴낸곳 | 주식회사 부크크
출판사등록 | 2014.07.15.(제2014-16호)
주 소 | 서울특별시 금천구 가산디지털1로 119 SK트윈타워 A동 305호
전 화 | 1670-8316
이메일 | info@bookk.co.kr

ISBN | 979-11-410-8984-9

www.bookk.co.kr
ⓒ 최규용. 신현심 2024